Heksenmeisje

www.johannakruit.nl
www.leopold.nl

Johanna Kruit

Heksenmeisje

LEOPOLD / AMSTERDAM

Omslagillustratie en tekeningen Kees de Boer
Omslagontwerp Marjo Starink
NUR 282 / ISBN 90 258 5014 6

Dit boek kwam mede tot stand dankzij een subsidie van het Fonds voor de Letteren.

De Sterrenkring

Lang geleden leefde er een heksenvolk in een groot bos. Het bos grensde aan de voet van de duinen; daarachter was het strand en de zee.

De heksen kwamen uit het land achter de sterren en noemden zichzelf de heksen van de Sterrenkring. Ze waren erg gelukkig met hun woonplaats, en hun tovenarij gebruikten ze alleen maar als het echt nodig was.

Ze verzamelden bloemen, bessen, kruiden en noten. Ze zochten schelpen aan het strand en eens in de honderd jaar bracht Matiki, het Sterrenkind, vijf jonge heksen vanuit het land achter de sterren naar de Sterrenkring.

Deze jonge heksen kregen een opleiding aan de heksenschool en iedereen had een eigen taak. Er waren kookheksen, medicijnheksen, muziekheksen, kleermakersheksen, waterheksen en nog veel meer. Elke heks kon alleen maar toveren op haar eigen gebied en daardoor was er nooit ruzie.

Alleen Sina, de hoofdheks, kon en wist alles, want die bezat het grote toverboek en droeg het teken van de Sterrenkring op haar voorhoofd.

Sina wist erg veel: ze kon het onweer stopzetten, ze kon de wind laten draaien, ze kon vissen toveren op het houtvuur en ze wist met haar toverspreuken de droge beek weer te laten stromen.

Elke avond las ze in het grote toverboek.

Iedereen vond dat heel normaal. Behalve Kira, een van de oudste heksen van de Sterrenkring.

Kira was geweldig jaloers op Sina en vond dat zij eigenlijk

hoofdheks zou moeten zijn. Ze begon kwaad te spreken over Sina tegen de andere heksen.

In het begin geloofde niemand haar, maar Kira was listig en gebruikte alle woorden die ze had om maar te overtuigen.

'Zie je dan niet dat Sina jullie dom houdt?' riep ze. 'Ze wil niet dat jullie toveren, jullie moeten altijd doen wat zij zegt. Jullie mogen alleen maar toveren op je eigen gebied. Ze is gewoon bang dat jullie te veel zullen weten. Maar zelf tovert ze wat en wanneer ze maar wil, waar of niet?'

En dat was zo, want soms toverde Sina eten als er niets te vinden was, of ze toverde iemand in slaap die niet slapen kon, of een droom in een hoofd voor wie dromen wilde.

De anderen konden dat niet.

'Let op,' zei Kira. 'Ik ga haar toverboek stelen en dan zullen we eens zien wat er met Sina gebeurt! Want dat teken van de Sterrenkring op haar voorhoofd stelt helemaal niks voor. Ik weet zeker dat ze dat er zelf op maakt, het is bedoeld om ons klein en bang te houden.

Ik geef iedereen die zich bij mij aansluit alle toverkracht die in het boek staat. Samen zullen we dan sterk zijn en de machtigste heksen van de hele wereld worden.'

Op den duur geloofden de meeste heksen alles wat Kira zei. Ze sloten zich bij haar aan, en met elkaar verjoegen ze Sina met de overgebleven heksen.

Kira richtte een nieuwe heksenkring op die ze 'de Aardheksen' noemde en riep zichzelf tot hoofdheks uit.

Lange tijd dwaalden de verjaagde heksen van de Sterrenkring rond, op zoek naar een nieuwe woonplaats. Steeds verder trokken ze weg van de kust tot ze uiteindelijk in het achterland een oud bos vonden waar ze konden gaan wonen.

Omdat haar toverboek gestolen was, kende Sina niet meer alle toverformules. En omdat ze al zo oud was, vond ze het ook heel moeilijk om die formules weer opnieuw te moeten bedenken.

En zo gebeurde het dat Kira steeds machtiger werd en ze met haar toverkunsten steeds meer pesterijen kon uithalen waar Sina niets tegen kon doen.

Want Kira had de zwarte bladzijden in het toverboek gelezen waarin stond hoe je slechte dingen kon doen met toverij.

Ze had ontdekt hoe ze mist in het hoofd van Sina kon toveren, zodat Sina steeds meer ging vergeten.

Ze stuurde een wespenplaag of ze blies het vuur van de Sterrenkring uit, zodat ze niet konden koken.

Zelfs de vuurheks wist dan niet hoe ze dit moest oplossen.

De heksen die zich hadden aangesloten bij Kira, hadden allang spijt dat ze dat gedaan hadden. Want Kira deed niets van wat ze beloofd had. Integendeel, ze nam elke heks haar toverkracht af en ze moesten alles doen wat zij zei. En als iemand protesteerde stonden daar strenge straffen op.

Matiki, in het land achter de sterren, zag en hoorde alles wat er gebeurde en besloot te gaan helpen. Zij hielp Sina een nieuw toverboek te maken, en wist de pesterijen van Kira de kop in te drukken.

Zo werd het weer rustig in het bos.

Matiki richtte een nieuwe heksenschool op voor de jonge heksen, en zij hielp de oude Sina tot er een nieuwe, jonge heks zou komen die haar kon opvolgen.

Want Sina was oud geworden. Haar rug was krom gegroeid. Haar mooie zwarte haren waren spierwit geworden, en op een avond vertelde ze bij het vuur dat ze zou vertrekken naar het land achter de sterren.

'Het land waar we allemaal vandaan zijn gekomen. Mijn tijd is gekomen, ik verdwijn binnenkort als een vogel en ga met Matiki mee.'

Maar voor die tijd zou er een nieuwe hoofdheks gekozen moeten worden.

Een jonge, sterke heks, een heks die alles kon, een heks die niet bang was, een heks die Kira zou kunnen verslaan als het moest.

En die jonge heks was er en heette Teinaki.

Teinaki zat op de heksenschool. Ze was nog maar tien jaar oud en wist zelf niet dat ze het teken van de Sterrenkring op haar voorhoofd droeg.

Dit teken konden alleen Sina en Matiki zien, en het betekende dat ze apart was en voorbestemd tot iets heel bijzonders.

Teinaki bezat al wat kracht om te toveren, meer dan de andere meisjes van de heksenschool. Soms gebruikte ze die kracht ook, want ze was gauw bang: voor onweer, voor harde wind, voor vreemde geluiden. Maar verder was Teinaki een gewoon heksenmeisje dat veel plezier maakte met de andere jonge heksen. Ze hield geweldig veel van Sina en kwam vaak zomaar even bij haar zitten om wat te babbelen, of om dingen te vragen die ze niet begreep.

Ze verzon vaak liedjes of gedichtjes en kon geweldig goed leren.

'Ze is te jong en te bang,' zei Sina, 'zij kan geen hoofdheks worden.'

'Ze kan het wel,' zei Matiki. 'Ik weet het zeker. Ze draagt het teken van de Sterrenkring op haar voorhoofd. Maar laten we haar testen en zien wat ze kan.

We nemen haar toverkracht af en brengen haar naar een eiland. Daar moet ze proberen om helemaal voor zichzelf te zorgen. Ze moet leren leven als een mensenkind, zonder toverij. Daar zal ze sterk van worden en haar ervaringen zullen haar later helpen. We zullen haar opdrachten geven en kijken hoe ze het redt. Als ze alle opdrachten goed uitvoert weten we zeker dat ze een goede hoofdheks kan worden. Dan zal ook het teken zichtbaar worden voor iedereen.'

En zo kwam Teinaki op het eiland terecht...

Het dagboek van Teinaki

1

Ik ben Teinaki het heksenkind en dit is mijn eiland. Ik moet hier blijven tot ik bewezen heb dat ik alles kan wat ik moet kunnen. Pas daarna mag ik weer terug naar de groep van de Sterrenkring om de oude Sina als hoofdheks op te volgen.

Matiki, het Sterrenkind, en Sina hebben me hier gisteren heengebracht. Toen ze weggingen, trokken ze een magische cirkel om het eiland heen. Zo kan niemand me bereiken – maar ik kan er ook niet af.

Het eiland is vreemd en groot en ik mag hier niet toveren. Sina en Matiki hebben mijn toverkunst meegenomen.

Mijn dromen mocht ik houden.

Ik moet alles alleen doen.

Ik moet leren leven als een mensenkind.

Ik moet bewijzen dat ik mezelf kan redden zonder toveren.

Ik moet bewijzen dat ik tegen eenzaamheid kan.

Ik moet de opdrachten vervullen die Sina me geeft.

Ik moet leren niet bang te zijn.

Ik ben bang.

Toen ik vanmorgen wakker werd, was ik verdrietig. Ik besefte dat ik nu heel lang niemand meer zou zien of spreken.

De slaapdrank die Sina me gegeven had was uitgewerkt en ik had honger.

Waar moest ik eten vinden?

Stil heb ik bij het water op een steen gezeten en gekeken naar de golven die heen en weer gingen. Ik werd er helemaal duizelig van.

Ik verlangde heel erg naar de meisjes van de heksenschool en naar de vrouwen van de Sterrenkring.

Naar de verhalen die ze ons altijd vertellen over magie, over avond en nacht, over sterren en manen, over donker en licht. Verhalen over vlinders en bloemen, vogels en bomen, over eetbare planten en paddestoelen.

Ik zat in de duinen en had honger.

De kookpot van Sina stond beneden op het strand. Ik keek ernaar en wist niet wat ik erin moest koken. De vuurstenen lagen ernaast.

Ik kende geen enkele toverspreuk meer die me kon helpen.

Aarzelend ben ik langs het strand gaan lopen en gelukkig zag ik wieren in het water deinen. Ik heb ze geplukt, en ook mosseltjes die op de stenen groeiden.

Daarna heb ik hout gezocht. Ik maakte een vuurtje en kookte de mosseltjes in zeewater met wieren. Het was lekker, maar ik kreeg er dorst van, en daarom ging ik op zoek naar drinkwater.

Achter de duinen ligt een klein bos. Daar vond ik een smalle beek met helder water.

Maar ik voelde me niet op mijn gemak. Het leek alsof er ogen waren die me in de gaten hielden.

Matiki heeft me bezworen dat er niemand op het eiland kan komen. Dat de magische cirkel sterk genoeg is om zelfs de toverkrachten van de Aardheksen te weren.

En toch voelde ik me onzeker.

Later ging dat over, want er was veel dat ik moest doen.

Bij de beek vond ik watermunt en er stonden eetbare planten: look zonder look, brandnetel en kleine aardknolletjes.

Alles wat ik maar plukken kon heb ik meegenomen en langs het strand gesleept naar de kookpot.

En toen moest ik ook nog een plek hebben om te kunnen schuilen voor regen en kou. Ik heb het zo druk gehad vandaag dat er geen tijd meer was om bang te zijn.

En nu zit ik voor mijn hut in het duin.

Hij is gemaakt van oude planken en stukken hout die ik vond op het strand. Het ziet er nog niet zo mooi uit, maar ik ben er blij mee. Morgen zal ik alles nog sterker maken.

Sina zei dat ik opdrachten zou krijgen. Ik weet niet hoe ze dat gaat doen. Misschien kan ze me uit de verte zien in haar glazen Ster?

De zon is al aan het zakken, ik ben moe.

Ik vraag me af of ik zal kunnen slapen vannacht.

Aan het strand lopen een paar kleine vogeltjes. Ze zien er grappig uit en pikken bij de vloedlijn in het zand. Ook vliegen er zo nu en dan meeuwen over me heen. Soms schreeuwen ze hard.

Ik ben blij dat ik dit schrijfboek heb gekregen van Sina. Nu is het net of ik tegen iemand kan praten.

De sterren doen hun lichtjes aan, de zon is weggezakt in het water.

Mijn hut ziet er opeens dreigend uit, het lijkt wel of hij steeds groter en donkerder wordt. Misschien kan ik beter in het zand voor de hut gaan slapen, dan kan ik naar de sterren kijken en luisteren naar de golven die heen en weer spoelen op het strand. Dat is een mooi geluid, alsof het water voor me zingt.

2

Vanmorgen maakte de zon me wakker. Ik had gedroomd. Ik hoorde de stem van Sina die zei: 'Je moet nooit te veel verlangen, want dan kun je nooit te weinig krijgen.' Ook zei ze:

'Zoek een woord
voor een gedicht,
een woord dat nog
te slapen ligt.'

Ik heb gezwommen in de zee en liet me drijven op de golven. En ik heb stenen gezocht, rond en gladgeslepen door het water.

Met die stenen heb ik een cirkel gelegd voor mijn hut. De cirkel moet ervoor zorgen dat er geen slangen in de hut komen, of grote spinnen.

Ik wil geen spinnen in mijn hut. Spinnen horen bij de Aardheksen, die dragen hetzelfde kruis op hun rug.

Later heb ik langs het water gelopen tot ik bij een grote bocht kwam, waar het witte zand plaatsmaakte voor een soort klei, begroeid met kleine plantjes en scherpe grassen. Er liepen geultjes doorheen en er waren veel kuilen.

Ik heb kleine binnenmeertjes ontdekt en een grote zwarte steen gevonden.

De steen zag er dreigend uit en ik dacht aan Kira.

Ik spuugde op de steen en gooide hem in de zee.

En toen kwam er een liedje in mijn hoofd.

Golven die komen
laten me dromen.

Golven die gaan
laten me staan.

Ik ben Teinaki
het eilandkind.

Ik doe wat ik doe
en ik vind wat ik vind.

Zou Sina dit bedoeld hebben toen ze in mijn droom zei dat ik een woord voor een gedicht moest zoeken?

Ik heb ook zeekraal gevonden. Ik herinnerde me de plaatjes in het boek van de school en wist weer: zeekraal is eetbaar, het smaakt zout als de zee.

Boven de zee komen zwarte wolken aandrijven. Misschien gaat het wel regenen of onweren. In de verte rommelt het en het is koud. Er vallen druppels. Ik zit droog in mijn hut, maar mijn hoofd is zwaar. Was Matiki maar hier. Nu moet ik alles alleen doen.

En toch zal ik het doen!

Ik zal het eiland overwinnen, ik laat me niet bang maken.

De regen is voorbij, het is niet meer koud en ik kijk verbaasd naar de blauwe deken die over me heen ligt.

Iemand heeft die hierheen getoverd toen ik sliep. Ik denk dat het Sina was.

'Je moet nooit te veel verlangen, want dan kun je nooit te weinig krijgen.' Deze woorden uit mijn droom dansen opeens weer in mijn hoofd.

Sina heeft gelijk: als je weinig verlangt krijg je meer dan je denkt.

Wat heerlijk dat de zon weer schijnt!

Ik ga naar de zee, met mijn blote voeten in het water lopen.

Ik ga schelpen zoeken voor een ketting en om mijn hut te versieren.

En vanavond ga ik naar de sterren kijken en een lied maken voor de zee.

3

Vandaag heb ik schelpen gezocht en een gordijn voor de hut gemaakt. Het rinkelt zachtjes in de wind.

En ik heb zoutkristallen gevonden in kleine putjes op de stenen. Ze smaken heel zout, ik kan ze gebruiken als ik kook.

Misschien zijn het de tranen van de zee.

Zou de zee kunnen huilen?

Vanmiddag zat ik op de stenen en spetterde met mijn voeten de zee nat.

Opeens zag ik iets vreemds bij het water.

Ik keek naar de zeeanemonen die onder water leven en steeds open en dicht gingen. Maar er was nog iets anders. Ik zag een meisje.

Een meisje met heel lang haar dat om haar heen wiegde. Ze lachte naar me en het leek alsof ze iets wilde zeggen. Ik keek en luisterde, maar kon haar niet verstaan.

Opeens was ze verdwenen.

Op het strand lag een mooie schelp, een grote witte schelp die op een toren lijkt.

Zoiets heb ik hier nog niet eerder gevonden.

Ik was helemaal verrukt en hield hem aan mijn oor.

En heel zacht hoorde ik deze woorden:

'Lieve kind, eilandkind
ook wanneer je niemand vindt
zal ik heel dicht bij je zijn:
bij geluk, verdriet of pijn.'

Wie was dit meisje?

En wat bedoelde ze met die woorden?

Want dat de schelp een boodschap van haar was, begreep ik wel.

Was ze maar langer gebleven, dan had ik met haar kunnen praten, vragen hoe ze heette, of ze in de zee woonde en waar.

Toen ik met de schelp in mijn hand het duin opliep, struikelde ik bijna over een steen of een stuk hout.

Maar dat was het niet: het was een vogel, een kauw!

Hij zat met nieuwsgierige kraaloogjes naar me te kijken.

Ik was zo verbaasd dat ik ernaast ging zitten en niks anders kon doen dan ook kijken.

De kauw leek helemaal niet bang van me.

Ik lachte tegen hem en vertelde wie ik was.

Misschien is het wel gek om tegen een vogel te praten, maar ik moest gewoon iets zeggen, al was het dan maar tegen een vogel.

Hij hield zijn kop schuin en toen begon hij terug te praten.

In zijn eigen taal natuurlijk, maar toch begreep ik wat hij zei. Hij vertelde me wie hij was en dat hij me aardig vond.

'Kauw, kauw,' zei hij steeds, en keek dan vol verwachting naar me.

En ik zei: 'Ja, je hebt gelijk, jij bent ook alleen, wil je bij me wonen?'

'Kauw, kauw,' zei hij weer en hij vloog met me mee naar de hut.

En nu zit hij in een oude vlierboom en ik heb het gevoel dat ik een vriendje heb.

Ik noem hem gewoon Kauw. Het leek net alsof hij lachte

en blij was, want hij spreidde zijn vleugels wijd open en riep enthousiast zijn naam.

Hij ziet er grappig uit; hij lijkt op een kraai maar dan een beetje kleiner. Op zijn kop heeft hij zachte, zilvergrijze veren, net of hij een petje op heeft.

4

Ik denk dat er nog iemand op het eiland is, want ik zag voetafdrukken in het natte zand en die waren niet van mij. Er heeft daar iemand gelopen toen ik weg was, dat kan niet anders!

De maan kwam op boven het water, maar om me heen waren schaduwen.

Ik heb een vuur gemaakt en eten gekookt, maar schrok van elk geluid en van elke beweging. Ik schrok zelfs van de donkere vleugels van de nachtvlinders die op het vuur af kwamen.

En ik was bang van de ruimte om me heen, omdat ik niet wist wat daar gebeurde.

Na het eten heb ik het vuur niet uit laten gaan, maar ben er dicht bij gaan zitten met de grote schelp naast me. Zo nu en dan hield ik hem tegen mijn oor, maar het lied van het meisje was verdwenen. Misschien heb ik het me maar verbeeld en was er helemaal geen lied.

Ik durfde niet te gaan slapen, maar ben toch in slaap gevallen.

Toen ik wakker werd, was het ochtend. Het vuur was uitgegaan, de zon scheen en Kauw zat in de oude vlierboom.

Het eiland zag er vredig uit en ik kon me niet meer voorstellen dat ik bang was geweest.

Het water schitterde, witte meeuwen zeilden boven de golven. Soms dook er één naar beneden en kwam terug met een zilveren visje in zijn snavel.

In mijn hoofd kwam het liedje weer terug dat ik gemaakt had met als einde:

Ik doe wat ik doe
en ik vind wat ik vind.

Ik pakte de witte schelp op die naast me lag.

En toen hoorde ik de stem van het watermeisje weer.

De woorden klonken zangerig, fluisterend bijna alsof ze van heel ver kwamen.

Er was iets vreemds aan de blauwe deken. In een van de hoeken was een grote gele ster geborduurd!

Iemand had die ster erop gemaakt – of erop getoverd.

Ik dacht meteen aan Matiki.

Nu weet ik dat ik nooit echt alleen zal zijn op het eiland. Matiki en Sina passen op me vanuit de verte.

Zingend rende ik het duin af en Kauw vloog achter me aan.

Het leek alsof hij danste door het blauw van de hemel.

Ik holde naar het water en dook midden in de golven, liet me drijven op mijn rug, buitelde als een vis, sprong en danste en zwom en voelde me geweldig blij.

Daarna ben ik ver gaan lopen en voor het eerst ging ik het achterland in.

Het landschap veranderde en ik zag bossen en heuvels in de verte.

Kauw vloog om me heen, het leek alsof hij me uitlachte. Maar ik vond het niet erg en ging languit in het gras liggen.

Hij kwam naast me zitten en pikte zo nu en dan aan mijn oor of in mijn haar.

Ik vertelde hem over de Sterrenkring en over de meisjes van de heksenschool. Hoeveel plezier we altijd hadden, en dat we steeds meer leerden over toveren en kruiden, over sterren en manen en over goed en kwaad.

Dat we Sina wel eens plaagden en stiekem spinnenwebben in haar haren hingen.

Ik vertelde hem ook over Kira en de Aardheksen, en hoe alles veranderd was de laatste jaren door wat er gebeurd was. Hoe moedeloos Sina was geworden van dit alles, zodat ze niet meer wist wat ze moest doen. Over Matiki, die gekomen was om haar te helpen.

En dat ik zelf al wat kon toveren, beter dan de andere meisjes.

Ik vertelde hem echt alles. Het was heerlijk om zomaar een beetje te praten en aan de Sterrenkring te denken.

Kauw hield zijn kopje schuin en keek me met zijn heldere kraaloogjes aan. Zo nu en dan knikte hij, alsof hij me begreep.

Maar opeens vloog hij weg, als een pijl uit een boog, over het grasveld naar de verre bossen erachter.

Eerst dacht ik dat hij gewoon wat wilde vliegen en dat hij wel terug zou komen, maar hij bleef weg.

Uren heb ik daar gezeten en naar de hemel getuurd om te zien of ik hem zag.

Tenslotte bedacht ik dat ik hem moest gaan zoeken.

Ik voelde me schuldig omdat ik steeds bij de zee en de duinen was gebleven. Misschien was hij daarom weggevlogen.

En toen nam ik een besluit: morgen zou ik vertrekken.

Nu zit ik voor de hut en kijk voor de laatste keer naar de zee.

Naar het gouden licht van de ondergaande zon.

Waar zal ik morgen zijn?

5

Vannacht werd ik wakker van vreemde geluiden.

Het was aardedonker, geen ster te zien, en het stormde geweldig. De hut stond te schudden in de wind, het schelpengordijn klingelde heen en weer.

Voorzichtig keek ik naar buiten en zag hoge witte schuimkoppen van golven die tot aan het duin kwamen!

De zee brulde en loeide en leek helemaal niet meer op de zee zoals ik die kende. Het leek wel of de golven het duin wilden opeten.

Ik greep mijn sterrendeken, pakte er mijn spullen in en rende weg.

Ik struikelde, viel, stond weer op en wist al gauw niet meer waar ik was. Het gaf ook niet – als ik maar zo ver mogelijk bij dat dreigende water vandaan kwam.

Eindelijk hoorde ik al die enge geluiden niet meer en durfde uit te rusten. Mijn hart bonsde in mijn keel.

De sterren kwamen weer terug vanachter woeste wolken.

Ik was bij de beek.

Mijn benen waren geschramd en mijn knie deed pijn.

Maar de storm was voorbij. De beek ruiste en zong.

Ik heb weegbree gezocht en fijngewreven blad op mijn zere benen gelegd.

Hoe zal het strand er nu uitzien?

Of is het hele strand verdwenen?

Ik zocht eten maar er is niet veel te vinden. Gelukkig heb ik een vis kunnen vangen in de beek en die heb ik geroosterd op een vuurtje.

Nu ik eenmaal weg ben van het strand en de duinen moet ik wel verdergaan. Maar dat was ik immers toch al van plan?

Opeens bedenk ik me dat ik mijn mooie schelp niet heb meegenomen toen ik vluchtte. Nu zal ik nooit meer de stem van het watermeisje kunnen horen.

Maar de woorden weet ik nog.

Morgen, als mijn benen weer goed kunnen lopen ga ik verder op onderzoek uit.

En nu ga ik slapen.

Er is nog een klein stukje blauw in de lucht, een paar wolkjes dwalen door de hemel.

Toen ik mijn deken pakte, zag ik dat er nu twee sterren op geborduurd stonden.

Waarom, door wie?

Eigenlijk hoef ik het niet te weten, het is goed zo, iemand denkt aan me!

Lang heb ik niet geslapen, want ik werd wakker van een stem in mijn hoofd, die zei: 'Verzamel drie sterren: een hemelster, een aardster, en een zeester.'

Ik wist meteen dat het een opdracht was.

Peinzend keek ik naar de hemel. Het sterrenbeeld Grote Beer stond recht boven mijn hoofd. De maan speelde verstoppertje met de wolken.

En op dat moment zag ik een heldere flits. Even werd het ontzettend licht om me heen en voor ik wist wat er gebeurde lag er een ster in de beek.

Hij schommelde in het water, rekte zich uit, glinsterde en dook onder.

Ik heb een tijdje zitten kijken hoe hij speelde en schitterde terwijl hij aan het zwemmen was. Het leek wel een vis! Maar toen werd ik bang dat hij zou verdwijnen en heb ik hem voorzichtig uit het water geschept en in het gras gelegd.

Ik zag dat hij zijn ogen dichtdeed. Zijn lichtje ging uit: de ster was in slaap gevallen!

Ik heb hem in de kookpot gedaan met een beetje mos eronder. Daarna ben ik weer gaan slapen, en werd pas wakker toen de zon al hoog aan de hemel stond.

De ster was er nog, hij lag stilletjes onder het mos in de pot, een klein geel puntje stak er onderuit.

Bij de beek vond ik een steen. Hij was rond en plat en er zat een gaatje in. Ik heb hem om mijn nek gehangen. Hij is net zo rood als mijn rok.

Daarna heb ik paddestoelen gezocht, en vond fluweelpootjes bij een boom.

Vandaag ben ik nog bij de beek gebleven, want onder mijn knie zit een diepe snee. Soms gaat die bloeden. Ik doe er steeds nieuwe weegbree op.

De hele dag heb ik gedacht aan de opdracht over de sterren. Maar de stem is niet meer teruggekomen.

Gelukkig heb ik al een hemelster.

Maar hoe kom ik aan een aardster? Die zijn er alleen maar in de herfst.

En een zeester?

Ik durf niet goed terug naar de zee, maar ik zal wel moeten.

Eigenlijk ben ik kwaad op Sina en Matiki omdat ze dit allemaal bedacht hebben voor me.

Mijn benen doen pijn, de ster slaapt maar en straks is het weer avond.

Was er maar iemand om mee te praten!

6

Ik ben verdwaald, verdwaald, verdwaald.

Ik schrijf het een paar keer op, want ik kan het zelf niet geloven.

Vanmorgen liep ik langs de beek.

De snee onder mijn knie deed al wat minder pijn en ik voelde me opgewekt, want op mijn deken is er vannacht nóg een ster bijgekomen!

En op mijn rug schommelde de kookpot met de hemelster erin.

Voor me uit scheen de zon bij de bosrand en alle vogels zongen.

Maar na een uurtje lopen werd het geweldig warm. En daarna leek het alsof het landschap veranderde: de voorjaarsbloemen verdwenen en de koekoek riep niet meer. Het gras langs de beek werd geel en ik vond bramen en bosbessen en vlierbessen, net of het aan het eind van de zomer was.

En nog later werd het opeens koud, met een venijnige wind en felle regenbuien. Ik wilde schuilen onder de bomen, maar er hingen bijna geen bladeren meer aan.

Toen werd de beek smaller, sijpelde nog als een klein stroompje en verdween in de grond.

Voor me zag ik een zwart bos met kale dreigende bomen. Het stonk er naar verrot hout, naar dode paddestoelen, naar schimmel en rotte bladeren.

Het bos was kletsnat, de bomen dropen van het water en lage nevels kropen tussen de stammen.

Ik wilde vluchten, maar toen ik omkeek, zag ik alleen nog meer dreigende bomen.

Het was alsof er aan alle kanten gevaar op me af kwam.

Van takken heb ik een hutje gemaakt onder een boom en daar ben ik in gekropen. Ik heb een handjevol bosbessen gegeten.

Het wordt steeds donkerder en de bomen dreigender.

Gelukkig wordt mijn ster wakker. Daardoor komt er wat licht.

De donkere bomen lijken niet meer zo griezelig: je kunt zien dat het gewone bomen zijn.

Vlak voor me danst mijn ster. Hij haalt gekke capriolen uit, klimt op een boomtak, laat zich weer vallen en maakt me aan het lachen.

Hij geeft zoveel licht dat ik gewoon kan blijven schrijven.

Nu gaat hij zitten, vlak voor mijn takkenhut en kijkt ergens naar.

Doodstil zit hij te kijken.

Het maakt me nieuwsgierig. Wat zou er te zien zijn op de kale bosgrond?

Zijn heldere lichtje buigt ergens overheen.

Ik kon mijn nieuwsgierigheid niet bedwingen en ben uit de takkenhut gekropen.

En toen zag ik de aardster.

Klein en donkerbruin, en met zijn fluwelen punten gestrekt tegen de aarde.

Het bolle hoofdje zat vol zaadjes; toen ik erin kneep stoven ze in het rond.

De hemelster sprong achteruit van schrik, klom in een boom en bleef een poosje doodstil zitten. Ik denk dat hij nog nooit een aardster van zo dichtbij heeft gezien.

Ik groef de ster voorzichtig uit en legde hem tussen het mos in de kookpot.

Ik hoop dat mijn twee sterren vriendjes worden.

Nu ga ik slapen.

De hemelster is ook weer in de pot geklommen en ik hoor hem fluisteren met de aardster. Maar ik versta er niets van, want sterren hebben een eigen taal die heksen niet kennen.

Vanmorgen vroeg scheen de zon. Het bos zag er weer gewoon uit en vlak voor mijn neus stroomde een beek, met een vriendelijk paadje ernaast. De bomen waren groen en ik zag een zwaluw die gedichtjes schreef tegen de blauwe lucht.

Ik was zo verbaasd dat ik een paar keer met mijn ogen moest knipperen omdat ik dacht dat ik droomde.

Waar ik nu ben, is het opeens weer lente.

Snel ben ik op pad gegaan – en toen zag ik Kauw!

Vlak boven mijn hoofd hoorde ik geruis. Ik keek op en daar vloog hij in grote cirkels om me heen en riep zijn naam.

Ik kon het niet geloven, waar kwam hij opeens vandaan?

Hij ging gewoon op mijn schouder zitten, kletste honderduit en vertelde waarschijnlijk van alles en nog wat.

Ach, mijn lieve Kauw toch. Ik ben zo blij dat ik bijna moet huilen.

De hele dag is hij bij me gebleven, de hele dag heb ik me veilig en goed gevoeld en toen de middag oud werd, zag ik in de verte de duinen liggen.

Ik had het gehaald, ik was terug bij de kust!

Vol ongeduld klauterde ik de duinen op. Het leek wel alsof ze hoger waren dan vroeger. Ik struikelde bijna, zo'n haast had ik om de zee weer te zien.

Ik was ook een beetje bang. Wat zou er met het strand gebeurd zijn na die zware storm?

Zou het strand er nog zijn?

En toen stond ik op het duin en keek uit over het water.

7

Ik wist meteen: dit is een ander strand, hier ben ik nog nooit geweest!

Overal lagen stenen en rotsblokken. Er waren kleine baaien en zilverstrandjes die glinsterden in de zon.

Maar ik zag nog meer, en dook snel achter het duin.

Op een steen bij het water zat een meisje!

Ze droeg een korte blauwe jurk en had blonde haren die van achteren waren vastgebonden met een lint. In het zand stonden twee stokken, waartussen aan een touw vissen hingen.

Af en toe stond ze op en liep naar het water. Daar stonden ook stokken, heel lang en dun met glinsterende lijnen en een draaiding eraan. Zoiets had ik nog nooit gezien!

Twee keer pakte ze zo'n stok en draaide aan het ding. En dan kwam er opeens een vis uit het water die aan het glinstertouw vastzat.

Opeens begon het meisje te dansen en zong:

'Ik denk dat ik het kan
ik denk dat ik het kan

niemand weet het
ik ben Bo

soms doe ik zus
en soms doe ik zo.'

Daarna pakte ze de vissen en stopte ze in een zak. Ze nam de stokken uit het water, legde ze op een stapeltje onder aan het duin en verdween. In de verte zag ik haar lopen met de zak op haar rug.

Voorzichtig kwam ik overeind en schudde het zand uit mijn rok.

Op hetzelfde moment vloog Kauw op en ging er als een pijl uit een boog vandoor: hij vloog recht naar het meisje toe.

In mijn deken gehuld heb ik nog een tijdje op het duin gezeten. Ik moest aldoor aan het meisje denken. En aan het watermeisje, van de schelp en het liedje.

Zou ik hen nog eens terugzien?

Nu is het ochtend. Ik kan de zee haast niet zien, er hangen grijze nevels.

Mijn deken is klam, ik voel me koud en rillerig. Met moeite heb ik een vuurtje gemaakt en kruidenthee gekookt.

Gelukkig maar dat ik mijn sterren heb, ik moet steeds weer om ze lachen.

Het zijn echt vriendjes geworden. Ik hoor ze steeds fluisteren. Ook spelen ze samen, rennen elkaar achterna, klimmen in bomen of doen verstoppertje.

Als ik de kookpot nodig heb, zet ik ze eruit en dan zitten ze naast elkaar te giechelen. Kon ik ze maar verstaan!

Ik moet een plan maken. Nu ik weet dat het meisje in de buurt is, moet ik erachter zien te komen of er nog meer mensen zijn. Want dat het een mensenkind is weet ik wel zeker.

Ik denk dat ik het best in de duinen kan blijven, dan kan ik zien wat er op het strand gebeurt.

En ik moet weer een hut maken, of een plek zoeken waar ik kan wonen.

Mijn hoofd zit zo vol, ik weet gewoon niet wat ik eerst moet doen.

Toen ik aardknolletjes ging zoeken, vond ik vlak achter de duinen een heel veld vol. Het leek wel alsof ze daar expres voor mij waren gegroeid.

Ik heb er zoveel mogelijk uitgegraven en ze in mijn deken hierheen gezeuld.

Ze zijn erg groot: zulke mooie knolletjes heb ik nog nooit gezien!

8

Vanochtend dacht ik eraan dat ik gekomen ben om een zeester te vinden.

Toen ik liep te zoeken, zag ik opeens iemand langs het water lopen.

Snel kroop ik achter een rotsblok.

Het meisje dat ik gisteren zag kwam deze kant op.

Ze liep erg langzaam en toen ze dichterbij kwam, zag ik dat ze somber keek.

Ze kwam recht naar het rotsblok toe waarachter ik zat. Mijn hart bonsde in mijn keel. Toen ging ze op een steen zitten, ik kon haar bijna aanraken!

Zachtjes zat ze in zichzelf te praten, zoals ook Sina wel eens doet.

Ik bleef zitten waar ik zat tot ik haar zag weggaan en naar het duin lopen, waar ze de lange visstokken pakte.

Daarna verdween ze weer.

Wat stom van me dat ik zelf niet aan die stokken had gedacht! Ik had ze natuurlijk moeten gaan bekijken vanmorgen. Ik had graag dat draaiding eens gezien.

Pas toen ze helemaal uit het zicht was, durfde ik uit mijn schuilplaats te komen.

En toen zag ik dat ik nog een fout had gemaakt. Ik was vergeten om mijn voetstappen uit te vegen en daar waar het meisje gezeten had, kon ze die heel goed zien.

Ik vond mezelf geweldig stom.

En een zeester heb ik ook nog niet.

Omdat ik niet meer naar het strand durfde, ben ik vanmiddag in de duinen gebleven.

Het was warm vandaag en ik had zin om te gaan zwemmen, maar ik was bang dat er weer iemand zou aankomen.

Toen dacht ik aan het meertje waar de beek in uitkomt. Daar ben ik naartoe gegaan.

Het water was lekker koel, ik heb lang gezwommen.

De aardster zwom rustig rondjes, en ging later met zijn punten uitgespreid in het gras zitten om te drogen.

Ik heb mijn haar gewassen en daarna kruiden geplukt.

Verse munt en ogentroost, dille, dovenetel en brandnetel. En ook wilde mosterd, guldenroede en heelkruid.

Armenvol heb ik meegenomen naar mijn plek in de duinen. Ik heb alles uitgezocht en in bosjes bij elkaar gebonden. Die heb ik aan de takken van een meidoorn te drogen gehangen.

Ik lig languit op mijn deken en de twee sterren liggen naast me te slapen.

Ze klimmen steeds vaker uit de kookpot overdag, maar ik ben niet meer bang dat ze ervandoor gaan.

Wat dat betreft zijn ze trouwer dan Kauw. Want die heb ik niet meer gezien sinds ik hier kwam en hij opeens weer van me wegvloog.

Het is al laat in de middag geworden, dat zie ik aan de zon. Ik heb honger en ga zo knolletjes koken.

Nu hoor ik plotseling een raar geluid. Het komt steeds dichterbij.

Het zijn stemmen!

De sterren horen het ook. Ze klimmen gauw in de kookpot. Ik moet mijn spullen pakken en me verstoppen.

9

Er kwam een hele optocht aan van vrouwen in lange zwarte jurken. Sommigen van hen sloegen op een trommel.

Het meisje van het strand liep ertussen. Haar handen waren vastgebonden op haar rug.

Onder de meidoorn hielden ze halt en gingen in een kring zitten. Ze hadden allemaal een rood kruis op hun rug.

Ze duwden het meisje naar het midden en keken haar vals aan. Het getrommel hield op en één vrouw pakte het meisje ruw vast en zei met schelle stem: 'Je hoeft niets te ontkennen, Bo, de bewijzen zijn hier te zien.

Dit is dus je schuilplaats wanneer je zogenaamd gaat vissen voor ons. Je hebt de vrijheid die we je gaven benut om ons te bestelen. Je hebt de aardappelen van onze akker gestolen, je hebt de kruiden bij het meertje weggehaald en hier verstopt bij de meidoorn. Nu moet je gestraft worden.'

Het meisje zei niets, ze keek alleen maar met grote ogen naar de meidoorn waaraan mijn kruiden te drogen hingen en naar de stapel aardknolletjes die ik had moeten achterlaten.

Ik kon wel door de grond zakken van schaamte en was het liefst naar haar toe gerend. Maar ik begreep dat dit de zaak alleen maar erger zou maken.

De oude vrouw zweeg een poosje, deed haar ogen dicht en prevelde een paar dingen.

'Kira heeft gesproken, wat Kira zegt gebeurt,' krijste ze opeens.

Toen wist ik dat dit Aardheksen waren.

De vrouw trok Bo aan haar arm en bond haar met touwen stevig vast aan de meidoornboom. Ze riep: 'Hier zul je verhongeren, met de aardappelen aan je voeten en met de kruiden boven je hoofd. Hier zul je branden in de zon die tienmaal heter zal worden. Je zult gegeseld worden door een afschuwelijke zandstorm en een ijskoude regen. En daarna zal de bliksem je treffen en je doormidden splijten.

Over twee dagen gaat de straf in. Kira heeft gesproken.'

Ik keek naar Bo die stond vastgebonden aan de boom. De touwen zaten strak om haar armen en benen, maar ze gaf geen kik.

De oude heks stond vlak voor haar en opeens spuugde Bo haar midden in het gezicht.

De heks werd woedend, ze begon Bo te slaan, steeds opnieuw, met vlakke hand midden in haar gezicht.

Maar Bo huilde niet, haar stem gaf geen geluid, ze keek alleen maar vol minachting naar de heksen om haar heen.

'Kom,' zei een van hen. 'Het heeft geen zin om te slaan, laat haar aan haar lot over, we weten nu wat Kira wil en zo zal het gebeuren.'

Daarna stond iedereen op en in een lange rij vertrokken ze.

Ik bleef nog even liggen, omdat ik bang was dat de heksen terug zouden komen en me zouden ontdekken.

Toen stond ik op.

Bo zag me komen, haar ogen werden groot van verbazing.

'Ik weet wie je bent,' zei ze. 'Jij bent Teinaki, over wie de Aardheksen steeds praten. Ze zijn bang van je en willen je vangen. Maar jij laat je niet vangen, dat weet ik zeker!'

Ik wist niet wat ik hoorde en zei dus maar: 'Alles komt goed, kom, we gaan weg.'

Zo snel ik kon maakte ik de touwen los. Maar ik had geen idee wat ik moest doen. Zouden de Aardheksen echt bang van me zijn?

Razendsnel dacht ik na en toen Bo los was, zei ik: 'Nu snel inpakken: aardknolletjes, kruiden, alles gaat mee. We moeten zo gauw mogelijk hier vandaan, voor de heksen terugkomen.'

Ik was er zelf verbaasd over dat ik zo stond te commanderen.

'Kom, schiet op! Jij bindt de bossen kruiden op je rug, ik neem de rest.'

Even aarzelde ik en keek om me heen. Wat nu?

Maar in mijn hoofd klonk een stem die me voorzei wat er moest gebeuren.

We liepen samen in de richting van het strand en ik wist precies waar we heen gingen: naar de grot!

Vol vertrouwen liep Bo achter me aan.

10

We zijn in de grot, maar hoe we er gekomen zijn, weet ik niet. Ik volgde de stem in mijn hoofd die me zei hoe ik lopen moest.

We renden langs het strand, sprongen over stenen, klauterden over rotsblokken en uiteindelijk maakten de duinen plaats voor hoge, steile klippen waar ontelbare meeuwen omheen cirkelden.

Ik keek geen moment om, maar voelde dat Bo vlak achter me liep.

Opeens zei de stem: ‘Nu naar links en achter dat rotsblok de grot in. Loop zo ver mogelijk door en blijf daar tot ik zeg dat je weer naar buiten kunt.’

We kropen door een smalle spleet, daarachter was een kronkelige gang waar we gebukt doorheen liepen. Ik vond het nogal eng en hoorde ook Bo sneller ademhalen.

Gelukkig werd de gang breder en kwam er een grote open plek met zand op de bodem en hoge rotsmuren rondom.

Dit moest de grot zijn waar de stem me naartoe had gepraat.

‘Hier zijn we veilig,’ zei ik hijgend en ik keek achter me.

Bo knikte, maar ze was doodsbleek en tot mijn schrik zag ik dat haar gezicht bloedde: ik was helemaal vergeten dat die oude heks haar zo geslagen had!

Ik heb haar neergelegd op mijn blauwe sterrendeken. Ze probeerde iets te zeggen.

‘Sssttt, niet praten, probeer wat te slapen,’ fluisterde ik.

‘We zijn nu veilig, ik zweer het je.’

Daarna heb ik ogentroost fijngewreven en op haar gezicht gelegd. Ze had het niet eens meer in de gaten en ik merkte aan haar ademhaling dat ze in slaap was gevallen.

Ik ben een beetje door de grot gaan dwalen, met mijn handen langs de rotsige wand. De hemelster nam ik mee omdat die licht geeft, de aardster liet ik bij Bo. Soms lijkt het alsof de sterren me verstaan; ze doen altijd precies wat ik wil.

Aan het eind van een lange gang vond ik helder water dat uit een rotsspleet sijpelde.

Snel haalde ik de kookpot en vulde die. Boven het gat in de grot heb ik een vuurtje gemaakt en soep gekookt.

Daarna heb ik voorzichtig het gezicht van Bo gewassen met een punt van mijn rok. Ze werd niet wakker.

Mijn benen doen pijn van het harde rennen, mijn hoofd bonkt van het denken. Ik moet misschien ook maar gaan slapen.

Toen ik wakker werd, zat Bo naast de kookpot te spelen met de sterren. Ze zag er al een stuk beter uit, haar gezicht was niet meer zo gezwollen. De kruiden hadden goed geholpen gelukkig.

Ze zat zachtjes te zingen.

Ik wilde nog niet weten dat ik wakker was, zo fijn was het om haar daar zo te zien en te bedenken dat ik haar had kunnen redden uit de klauwen van de Aardheksen.

In mijn hoofd hoorde ik nog de afschuwelijke woorden die de oude heks had uitgesproken. Zou dat Kira geweest zijn?

Opeens spitste ik mijn oren, want Bo zong iets dat ik kende:

'Lieve kind, eilandkind,
ook wanneer je niemand vindt,
zal ik heel dicht bij je zijn
bij geluk, verdriet of pijn.'

Snel sprong ik op, liep naar Bo toe en vroeg bits: 'Hoe kom je aan dat liedje, van wie heb je dat geleerd?'

Verschrikt hield Bo op met zingen en ze keek me verbaasd aan. Aarzelend zei ze: 'Dit liedje heb ik gekregen van het watermeisje. Zij heeft het voor me gezongen in een schelp omdat ik er dan naar kon luisteren als ik alleen was.'

Ik wist niet wat ik hoorde. Bo kende het watermeisje!

De hemelster kroop in mijn haar en begon aan mijn oor te sabbelen. Daarna sprong hij in mijn nek en begon me zo geweldig te kietelen dat ik in de lach schoot.

Bo keek toe en begon toen ook te lachen. Even later rolden we samen door de grot en lachten tot we niet meer konden.

Toen gingen we op de deken zitten en keken zwijgend in het kleine vuurtje dat lag te gloeien.

De sterren waren in slaap gevallen, er was alleen een zacht ruisen dat ergens diep uit de grot leek te komen. Dat moest het water zijn dat langs de muren droop.

11

We hadden elkaar veel te vertellen.

Bo wilde alles weten over de Sterrenkring. En zij heeft mij zoveel verteld dat mijn hoofd ervan duizelt. Maar veel dingen die ik niet begreep zijn nu duidelijk geworden.

De moeder van Bo is gestorven toen ze nog een baby was en samen met haar vader woont ze op dit eiland. Haar vader is visser.

Samen met een groep andere vissers zijn ze hier een jaar of wat geleden naartoe gekomen. Maar de anderen zijn allemaal weer vertrokken, omdat er steeds dingen gebeurden waar ze bang van werden: onweer, hoge vloedgolven, vreemde geluiden in de nacht en nog veel meer. Alleen de vader van Bo was niet bang en hij en Bo wonen in een hut aan zee.

Op een dag was Bo's vader opeens verdwenen. Ze heeft hem overal gezocht, maar hij bleef spoorloos. Ook zijn boot was weg.

Het gekke was dat zijn visstokken in de hut stonden en zonder zijn visstokken ging hij nooit weg vertelde Bo, en zeker niet met de boot.

'Die visstokken heeft hij een keer van iemand gekregen,' zei ze. 'Het zijn speciale stokken en mijn vader is er altijd erg zuinig op. Hij is ook nog nooit weggegaan zonder het tegen mij te zeggen, zelfs wanneer hij midden in de nacht gaat vissen maakt hij me altijd even wakker om het te vertellen. En als ik niet thuis ben wanneer hij vertrekt, laat hij een boodschap achter.'

Zouden Sina en Matiki denken dat álle vissers zijn vertrokken? vroeg ik me af. Zij hadden gezegd dat er niemand op het eiland was.

Bo vertelde verder. Over de zoektocht naar haar vader, die haar tot aan de andere kant van het eiland bracht, en over het watermeisje dat ze daar ontmoet had.

Zij had wél met het meisje gepraat, en die had haar gezegd dat ze bijna zeker wist dat haar vader nog in leven was. Later had ze een schelp voor haar opgedoken: de schelp met het liedje, en ze hadden samen op een steen bij het water gezeten.

Het meisje heet Mare.

Toen Bo terugkwam ontdekte ze dat er intussen een groep vreemde vrouwen was aangekomen.

Ze was erg verbaasd en verstopte zich in de duinen. Ze luisterde hun gesprekken af en begreep daaruit dat het heksen waren, die naar het eiland waren gekomen om een jonge heks die Teinaki heette te vangen.

Bo had nog nooit echte heksen gezien en ze was nieuwsgierig, maar slim genoeg om te bedenken dat ze haar niet mochten ontdekken.

Ook had ze al gauw in de gaten dat geen enkele heks van de groep kon toveren en dat ze alleen maar deden wat een andere heks hen opdroeg. Die heks heette Kira, maar die was niet op het eiland.

Er was maar één heks, Timi, die de boodschappen en bevelen van Kira kon opvangen in haar hoofd. Dat was de oude heks die Bo aan de boom had vastgebonden en die ze in haar gezicht had gespuugd.

Bo lachte flauwtjes toen ze daaraan terugdacht, en ik zei dat ik haar moed had bewonderd. Toen lachte ze echt.

Mijn hoofd duizelde van alles wat ik hoorde. Daarom stelde ik voor om de grot te gaan onderzoeken.

We ontdekten dat er nog veel meer zalen en gangen waren dan we eerst dachten. Na elke bocht kwam er weer iets nieuws. Er was zelfs een onderaards riviertje dat zo helder was dat je jezelf erin kon spiegelen. De hemelster sprong er meteen in maar het water was ijskoud.

Van schrik klom hij in mijn nek om weer warm te worden onder mijn haar.

Ik rook paddestoelen. De geur werd steeds sterker en daar waren ze: een grote plek champignons, dicht bij elkaar in een donkere nis.

We plukten zoveel we dragen konden en liepen terug naar onze vuurplaats.

'Hoe komt het dat je zo goed de weg weet in deze grot?' wilde Bo weten. 'Ben je hier wel eens vaker geweest en is het een van je schuilplaatsen?'

Ik schudde mijn hoofd. Het was de stem die me weer leidde, maar dat zei ik niet tegen Bo.

We aten paddestoelen en daarna tekende Bo met een stokje op de grond hoe de plek eruitziet waar de hut van haar en haar vader staat. En waar de Aardheksen op het strand zijn gaan wonen in oude takkenhutten. En waar haar vader de boot altijd aanlegt.

Ze tekende ook de visstokken voor me en vertelde over de lange dunne lijnen en het vreemde draaiding.

Ik kon me niet voorstellen hoe je een vis kunt vangen met zo'n draaiding. Bo lachte me uit en zei dat ik dom was, maar ik zag dat ze blij keek omdat er ook eens iets was dat zij begreep en ik niet.

Ik bukte me over haar tekeningen en opeens brak mijn gevlochten grasketting en viel de rode steen die ik om mijn nek droeg in het zand.

Bo raapte hem op en bekeek hem aan alle kanten.

'Hoe kom jij aan die steen? Dit is de steen van mijn vader, hij droeg hem altijd bij zich!'

Ik vertelde haar waar ik hem gevonden had.

Ze luisterde zwijgend en draaide de steen om en om in haar handen.

'Mijn vader is niet dood, ik wist het wel, maar nu weet ik het zeker. Misschien is hij ontvoerd en heeft hij onderweg zijn steen expres bij de beek laten vallen in de hoop dat ik hem zou vinden. Zou dat kunnen?'

Haar ogen keken me verlangend aan, haar mond bibberde.

Ik pakte haar hand en zei: 'Ja, dat zou kunnen.'

12

We lagen rustig te slapen toen we opeens wakker schrokken van een geweldige dreun. Het leek alsof de grot stond te schudden en elk moment in elkaar kon storten.

De sterren sprongen razendsnel overeind en kropen in mijn armen en Bo en ik keken elkaar geschrokken aan.

Meteen daarna kwam er weer een dreun en een golf van hitte kwam aangewaaid door de voorste gang, met een grote stofwolk erachteraan.

Meteen daarop waaide een ijskoude wind langs ons heen en ging het vuur uit.

De dreunen bleven maar komen, het was een heidens kabaal.

Grote vlammen joegen door de gangen, gevolgd door hagelstenen en ijzige regen.

Brokken steen vielen uit de wanden om ons heen.

Bevend zaten we met onze rug tegen de muur en stikten zowat door al het stof. Het leek uren te duren, we zaten verstijfd van schrik en konden elkaar alleen maar vasthouden. Maar op een gegeven moment werd het stil en leek het erop dat alles voorbij was.

We bleven doodstil zitten en durfden nauwelijks te bewegen, bang dat al dat geweld weer terug zou komen.

'Dat was voor mij bedoeld,' zei Bo zachtjes, 'zoiets overleeft niemand.'

Nee, zoiets overleeft niemand, zelfs een heks niet, dacht ik. Zou de kracht van Kira sterk genoeg zijn om onze Sterrenkring uit te roeien op deze manier?

Snel duwde ik die gedachte weer terug in mijn hoofd en probeerde te denken aan wat we nu moesten gaan doen.

En toen was de stem er weer die me influisterde dat alles veilig was en we de grot konden verlaten.

'Laten we gaan,' zei ik tegen Bo, 'ik denk dat we nu wel naar buiten kunnen.'

Voetje voor voetje schuifelden we door het donker naar de uitgang, terwijl de hemelster ons bijlichtte.

Buiten scheen de zon, de zee lag als een glinsterende spiegel voor ons. We gingen op een rotsblok zitten en knipperden met onze ogen tegen het felle licht. Ik keek om me heen: de omgeving was onbekend. Achter ons waren steile klippen met eronder grote rotsblokken en stenen. Sommige heel mooi gevormd en rond gespoeld door het zeewater, andere heel groot en hoekig met gevaarlijke punten.

Kleine plasjes water glinsterden aan onze voeten.

Niets wees erop dat er hier hevige uitbarstingen hadden plaatsgevonden, tot Bo zei: 'Moet je kijken, dat stuk rots daar is helemaal van boven naar beneden gevallen, zie je wel? Je kunt de verse breuk nog zien zitten.'

Ze had gelijk en toen we beter rondkeken, ontdekten we meer sporen van het geweld: verbrande struiken en planten, stukken steen die zwartgeblakerd waren. En toen ik mijn voet in een plas water tussen de stenen stak, trok ik hem verschrikt terug, want het water was gloeiend heet.

Het was heerlijk om weer buiten te zijn en we dwaalden rond in de buurt van de grot.

We renden langs de vloedlijn en zwommen met de sterren, die uitgelaten over elkaar heen buitelden in de golven.

Ik voelde me blij en opgelucht, maar wist ook dat ik nu

een plan zou moeten bedenken om de vader van Bo te gaan zoeken en vooral om de Aardheksen weer van het eiland te krijgen.

We maakten een vuurtje bij de ingang van de grot en haalden de kookpot naar buiten.

En toen vertelde Bo verder over de Aardheksen en hoe ze gevangen werd genomen.

'Toen ik terugkwam van de andere kant van het eiland, waren ze er ineens. Ik schrok geweldig en verstopte me in het duin om erachter te komen wat ze hier kwamen doen. Ik begreep dat Kira, hun hoofdheks, besloten had om op dit eiland te gaan wonen en dat ze daarom alle vissers van het eiland had weggepest. Ze had er geen rekening mee gehouden dat mijn vader en ik zouden blijven.

Ik hoorde dat ze mijn vader "verwijderd" hadden en dat ze mij ook wel zouden krijgen. Daar werd ik bang van en ik dacht dat mijn vader misschien toch dood was.

En toen hoorde ik dat jij op het eiland gekomen was en dat iedereen bang van je was omdat je een "echte" heks zou zijn die alles kon en wist. Ze wilden je met alle geweld vangen en ook onschadelijk maken, zoals ze met mijn vader gedaan hadden.

Ik wist niet wat ik moest doen, ik was helemaal in de war. 's Avonds liep ik langs de zee om te vissen met de visstokken van mijn vader, en toen hebben de heksen me ontdekt en omsingeld en meegenomen naar de hutten. Ze sloten me op en lachten me uit en wilden weten wat ik met die stokken deed.

Toen ze merkten dat ik niet gevaarlijk was, lieten ze me zo nu en dan wel eens vrij om te gaan vissen, omdat ik altijd heel veel ving en zij dat niet konden. Totdat ze ontdekten dat er kruiden en knolletjes gestolen waren. Ze dachten dat ik dat had gedaan en waren geweldig kwaad. Kira was niet op het eiland, maar zij beval Timi om mij te straffen. En zo kwam ik op die plek terecht waar jij mij gered hebt.'

Bo keek me aan en lachte.

13

Vanmiddag zijn we op onderzoek uitgegaan, want ik heb een plan bedacht.

We liepen langs het strand, maar wel zo dicht mogelijk langs de rotsen en later door een duingebied. Er was niets meer te zien van al het geweld dat Kira veroorzaakt had met haar getover. Alles zag er mooi en vredig uit onderweg. De zwartgeblakerde struiken en planten waren weer groen, de bloemen bloeiden en de vogels zongen.

Maar het fijnste was dat ik Kauw weer zag!

Hij kwam aanvliegen en ging op de schouder van Bo zitten, pikte in haar oren en begon opgewonden tegen haar te kletsen in zijn vogeltaal, terwijl hij uitgelaten met zijn vleugels klapperde.

Bo plukte hem van haar schouder, ging in het zand zitten en knuffelde hem.

Ik was zo verbaasd dat ik niets kon zeggen, alleen maar kijken. Blijkbaar kende Bo Kauw ook – en veel beter dan ik.

Ze praatte tegen hem in zijn eigen vogeltaal en toen begreep ik er helemaal niets meer van.

Ik ging dus ook maar in het zand zitten en was jaloers. Ik voelde me buitengesloten, want Kauw had totaal geen aandacht voor mij.

En opeens ging hij er weer vandoor. Bo riep hem nog iets achterna en keerde zich toen met een stralende glimlach naar me om.

'Dat was Kauw,' zei ze, 'hij is mijn liefste vriend, jij kent hem ook hè?'

Ik kon alleen maar knikken omdat ik niet wist wat ik zeggen moest.

En toen kwam Kauw terug, hij ging op mijn schouder zitten, pikte in mijn haar, vloog weer weg, draaide nog een rondje boven ons hoofd en verdween in het blauw van de lucht.

Ik was niet meer jaloers.

We zijn terug in de grot want het werd te laat om nog iets te gaan doen.

Door de ontmoeting met Kauw hoeft mijn plan niet meer uitgevoerd te worden. Ik wilde de Aardheksen bespioneren, maar dat is niet meer nodig, want Kauw is onze spion.

Bo heeft me alles over hem verteld.

Toen hij een jonge vogel was is hij uit het nest gevallen en zij heeft hem gevonden. Hij was bijna uitgehongerd en had een gebroken vleugel. Ze heeft hem meegenomen naar de hut en hem geholpen en hij is altijd bij haar gebleven.

Ze heeft ook een eigen vogeltaal bedacht en hem die geleerd, daarom kunnen ze samen praten.

'Ik wist niet dat mensenkinderen zo slim waren,' zei ik.

'Dat heb ik van mijn vader, die is ook slim,' antwoordde Bo. 'Hij is de zoon van een tovenaar.'

En daarna vertelde ze me over haar vader.

Dat hij lang geleden wilde trouwen met een meisje waar hij verliefd op was en dat dit niet mocht: hij moest trouwen met de dochter van een andere tovenaar.

Samen met dat meisje is hij toen gevlucht. Ze zijn naar een van de eilanden gegaan en hij is visser geworden. En later is hij met Bo naar dit eiland gekomen.

'Ik weet niet waarom Kira per se op dit eiland wil komen wonen,' zei Bo. 'Misschien weet ze dat mijn vader uit een tovenaarsfamilie komt en wil ze dat hij bij de Aardheksen komt... Zou ze hem daarom ontvoerd hebben?'

'In ieder geval wil ze mij gevangennemen en de Sterrenkring vernietigen,' zei ik.

We hebben er lang over gepraat, maar kwamen er niet uit.

Daarna vertelde ze nog meer over Kauw. Die is al een tijdje haar spion. Toen ze aan de andere kant van het eiland was, had ze ontdekt dat ik daar was. Ze hield me in de gaten om te zien wat ik er deed. Daar had ik niets van gemerkt!

Die voetstappen in het zand waren dus van haar, begreep ik ineens.

Ze was erg nieuwsgierig en stuurde Kauw naar me toe.

Toen ze dat zei, herinnerde ik me hoe ik Kauw had ontmoet. En dat ik hem alles vertelde over mezelf en de Sterrenkring.

'Heeft hij je dat allemaal doorverteld?' vroeg ik.

Bo knikte lachend.

Ik ga haar steeds aardiger vinden.

Vanmiddag heeft ze Kauw naar de Aardheksen gestuurd en gezegd dat hij goed moet kijken en luisteren en morgenochtend terug moet komen om verslag uit te brengen.

Het is al laat, boven mijn hoofd roepen de meeuwen.

Bo is eten gaan zoeken toen ze zag dat ik in mijn boek wilde schrijven.

Ze vraagt niet naar mijn boek, daar ben ik blij om. Ik heb haar alleen verteld dat ik soms dingen opschrijf die gebeuren.

Het is fijn dat Bo er is, ik leer veel van haar, ze is een echte vriendin voor me geworden.

14

De zon schijnt, het is warm. Vanmorgen was ik al vroeg wakker en ben gaan zwemmen.

Het water was helder, ik zag krabben tussen de stenen en kleine garnaaltjes.

En opeens zag ik Kauw.

Van achter de kliffen kwam hij aanzeilen en ging naast de resten van ons vuurtje voor de grot zitten. Zijn kraaloogjes glinsterden en hij hijgde.

Ik heb nooit geweten dat vogels kunnen hijgen, maar zo leek het echt.

Bo kwam snel aanlopen en nam hem op schoot, streelde zijn zilveren verenpetje en fluisterde iets in zijn oor.

Daarna begonnen ze te praten. Ik ben maar wat gaan wandelen.

Toen ik terugkwam was Kauw weg en Bo keek ongerust.

'Kira is op het eiland,' zei ze. 'Gisteravond is ze aangekomen en Kauw heeft haar gezien. Ze was heel kwaad op Timi, want de Aardheksen hebben ontdekt dat de vloek van Kira niet gewerkt heeft en dat ik ben ontvlucht. Ze heeft alle heksen bevolen naar mij op zoek te gaan en ze denkt dat ik bij jou ben. "Die ellendige Teinaki van de Sterrenkring," noemde ze je. Wat moeten we nu doen?'

Ik kon er niets aan doen maar ik moest zo geweldig lachen om het gezicht van Bo dat de sterren uit de kookpot klommen om te kijken wat er aan de hand was.

'Wat een goed bericht,' riep ik. 'En wat heerlijk dat we

Kauw hebben die ons alles komt vertellen! Wacht maar eens af, we gaan haar toverboek stelen. Als ze dat niet heeft, kan ze niks meer en dan is ze zo van het eiland weg.'

Bo keek me verbaasd aan.

'Ben je dan niet bang dat ze jou eerder te pakken krijgt dan jij haar?'

'Nee, dat ben ik niet, ik voel gewoon dat wij haar aan kunnen, jij en ik samen. Kijk niet zo benauwd. En als we Kira verjaagd hebben, gaan we je vader zoeken en reken maar dat we hem zullen vinden!'

Mijn stem klonk strijdlustig en Bo keek me dankbaar aan, maar zelf was ik er toch niet zo gerust op.

Ik vertelde haar dat ik een plan had en dat we vandaag weg zouden gaan.

Ze vroeg niet wat voor plan en daar was ik blij om, want eigenlijk wist ik het zelf ook niet zo goed. Ik voelde alleen dat we moesten gaan en geen sporen mochten achterlaten.

Ik pakte mijn spullen in de blauwe sterrendeken en daarna gingen we op weg.

Ik had geen idee welke kant we op moesten, maar het leek alsof mijn benen het wel wisten, want ze begonnen gewoon te lopen.

Niet langs de zee of over het strand, ze stuurden me langs een heel moeilijk en smal paadje dat tussen de kliffen door steil omhoogging.

Toen we boven waren, rustten we even uit en keken naar de zee die diep onder ons lag.

Het was laagwater en we zagen het strand en de vloedlijn met de stenen hier en daar, de poeltjes water en de kleine baaitjes.

En toen zag ik nog iets!

'Snel, bukken,' riep ik tegen Bo en ik dook achter een rotsblok.

Meteen lag ze naast me. Ik wees haar op de kleine zwarte figuurtjes die aan kwamen lopen langs de zee.

'De Aardheksen, we zijn net op tijd weg.'

Langzaam kwamen de figuurtjes dichterbij, ze liepen niet snel, ze sjokten maar een beetje.

Zachtjes telde Bo de heksen die er liepen, het waren er veertien. Volgens haar waren ze dat allemaal, ook Timi, en we vroegen ons af wat ze daar deden.

We keken net zolang tot ze voorbij waren en in de verte verdwenen.

Als Kira nog op het eiland was zou die nu alleen zijn... We moesten haar zo snel mogelijk vinden.

De hele middag hebben we gelopen, eerst boven langs de kliffen, later door de duinen, en ik begon plaatsen te herkennen waar ik eerder geweest was.

En nu zijn we bij de plek waar ik Bo heb bevrijd. Hier vandaan gaan we naar de hutten toe om Kira te zoeken. We wachten tot het donker is.

Ik vroeg haar naar het liedje dat ze zong toen de heksen verdwenen waren en zachtjes zong ze het voor.

'Ik denk dat ik het kan
ik denk dat ik het kan

niemand weet het
ik ben Bo

soms doe ik zus
en soms doe ik zo.'

Daarna vertelde ze dat haar vader altijd zei dat je alles kon als je het maar echt wilde, ook als iets heel erg moeilijk was. Want problemen zijn er om opgelost te worden.

Wanneer Bo over haar vader praat, stralen haar ogen. Je kunt merken dat ze veel van hem houdt. Hij moet vast bijzonder zijn.

Soms ben ik wel eens jaloers op haar omdat ze een vader heeft – maar ik heb Sina natuurlijk en Matiki en al onze andere heksen die van me houden.

Het is goed om hier nog even rustig te zitten voor we er straks in het donker op uit moeten om het toverboek te stelen. Bo weet de weg, we moeten door de duinen omdat dat het veiligst is.

Ik laat mijn spullen hier achter en verstop ze in de duinen. Maar hoe moet het met de sterren? Zal ik ze achterlaten of zal ik ze juist meenemen omdat het gelukssterren zijn?

Ik wou maar dat Kauw terugkwam of dat de stem in mijn hoofd me iets vertelde.

De zon is bijna verdwenen, het is hoog water aan het worden en nog steeds hebben we de Aardheksen niet terug zien komen langs het strand.

Bo denkt dat ze een strafwandeling moeten maken omdat ze haar hebben laten ontsnappen.

Dat kan best. Ik weet dat Kira haar heksen soms wel eens van die wandelingen laat maken van twee of drie dagen... Geen wonder dat ze sjokten!

15

Ik ben doodmoe, alles is mislukt, Bo en Kauw zijn gevangengenomen en net heb ik een poosje zitten huilen van woede en wanhoop.

Kleumend zit ik in het zand en vraag me af wat ik moet doen.

De sterren zitten op mijn schoot en houden zich heel stil, het lijkt alsof ze weten hoe ik me voel en daar ben ik dankbaar om.

Wel licht mijn hemelster me een beetje bij terwijl ik dit schrijf en soms aait hij zachtjes met een van zijn stralende punten langs mijn gezicht.

Maar laat ik vertellen wat er gebeurd is.

Toen het donker was slopen we door de duinen naar de plek van de Aardheksen.

Bo wist de weg en we deden alles heel voorzichtig, niemand kon ons zien, dat weet ik zeker.

Op een gegeven moment hielden we halt en gingen achter een duintje liggen, waar we een goed overzicht hadden op het strand beneden ons.

Voor het eerst zag ik de hut waar Bo met haar vader woont en nog een paar andere hutten die de Aardheksen hebben gebouwd.

Ik wist dat Kira beneden ons was. Misschien lag zij ook op de loer en wachtte op wat er zou gebeuren.

Ik probeerde mijn gedachten op een rijtje te krijgen en vroeg me af waar het toverboek kon zijn.

Wel een uur lang lagen we daar en ineens hoorde ik iets: de stem van Kauw!

En ook al kon ik hem niet verstaan, ik zag aan Bo dat zij dat wel kon.

Razendsnel sprong ze overeind en holde het duin af.

Ik riep nog dat ze terug moest komen maar ze schreeuwde alleen maar: 'Kauw is gevangen, Kira wil hem doden!' en meteen was ze weg.

En toen gebeurde alles heel snel. Een felle bliksemschicht schoot door de lucht en zette het hele strand in lichterlaaie.

Ik zag Bo stokstijf en verblind op het strand staan en een krijsende Kira die naar haar toe liep.

'Die zwarte vogel van je heb ik gevangen, ik zal hem doden,' gilde ze. 'En nu ga ik jou ook in een kooi stoppen. En daarna Teinaki, die ook in de buurt is, dat weet ik zeker.'

Ze liep naar Bo toe, pakte haar bij haar arm, sleurde haar mee in de richting van de zee en toen werd alles weer donker en zag ik niets meer van wat er beneden me gebeurde.

Verstijfd van schrik lag ik achter het duin.

Omdat het zo donker was, kon ik weinig zien, maar wel hoorde ik allerlei geluiden en ik spitste mijn oren om ze te kunnen opvangen.

Ik begreep dat Kira Bo in een kooi bij het water zou zetten.

Omdat de stem van Kira heel hard is kon ik dat verstaan, maar van wat Bo terugzei kon ik helaas niets horen.

Wel begreep ik dat ze behoorlijk van zich afbeet en dingen zei waar Kira geweldig kwaad om werd en ik was trots op haar.

Ik kon me haar gezicht voorstellen, vol minachting, en eigenlijk hoopte ik dat ze Kira ook in haar gezicht zou spugen, zoals ze dat eerder bij Timi deed.

Het krijsen van Kira hield aan en uit alles wat ze zei begreep ik dat ze niet alleen kwaad was op Bo maar ook op de Aardheksen, die volgens haar alles verkeerd hadden gedaan. En toen hoorde ik iets waar ik een beetje blij van werd, want Kira gilde dat de vader van Bo door de stommiteiten van de Aardheksen was ontsnapt.

Hij leeft dus nog!

'En daar zul jij voor boeten,' gilde Kira. 'Kom jij maar eens mee.'

Daarna werd het stil, ik lag in het duin, de maan was weggekropen en geen ster liet zich zien.

In de verte hoorde ik de zee ruisen en ik voelde me geweldig eenzaam. Niemand kon me helpen, Sina en Matiki waren ver weg en vol angst bedacht ik dat Kira de hele Sterrenkring misschien al had uitgeroeid en nu Superheks was die alles naar haar hand kon zetten!

En toen hoorde ik de stem van Bo die zong.

Het geluid kwam van ver en het liedje klonk een beetje triest, maar ik wist dat ze het voor mij zong en ik kreeg weer wat moed.

'Ik denk dat ik het kan
ik denk dat ik het kan

niemand weet het
ik ben Bo

soms doe ik zus
en soms doe ik zo.'

Toen hoorde ik niets meer.

Er kwam een voorzichtige maan tevoorschijn en hier en daar verscheen een ster.

Alles was stil en rustig, het enige dat ik kon bedenken was dat Kira Bo ergens heen had gebracht waar ik haar niet meer kon zien of horen, en dat ook Kauw gevangen was en zich stilhield.

Ik lag achter het duin en dacht aan Sina en de Sterrenkring en aan alles wat er mis was gegaan.

En toen klonk opeens het liedje van het watermeisje in mijn hoofd:

Lieve kind, eilandkind,
ook wanneer je niemand vindt,
zal ik heel dicht bij je zijn
bij geluk, verdriet of pijn.

Wat vreemd dat ik dit lied bijna vergeten was en nu de woorden weer zo duidelijk hoorde!

Ik zag ook weer heel helder het gezicht van het watermeisje voor me. Waar zou ze zijn, en zou ze Bo en mij kunnen helpen?

Hoe ik teruggekomen ben op deze plek, weet ik niet meer goed. Er was geen stem in mijn hoofd die me de weg wees en het was nogal donker. Maar toch ben ik weer bij de meidoorn in het duin en zit hier doodmoe te schrijven.

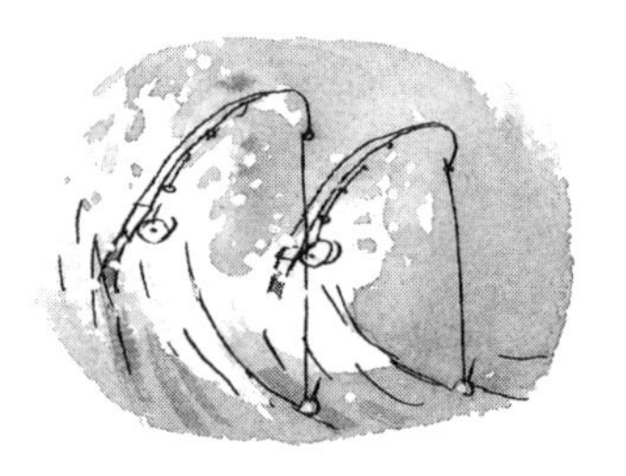

16

Nog voor ik goed wakker was vanmorgen, voelde ik al dat er iemand in de buurt was die naar me keek. Ik was niet bang, alleen nieuwsgierig.

Door een kiertje van mijn wimpers zag ik dat er iemand bij me in het duin zat. Het was een man in een oude zwarte broek en een vale blauwe kiel. Hij had lang blond haar en zijn ogen keken naar de zee.

Toen ik die ogen zag, wist ik dat dit de vader van Bo moest zijn.

Maar waar kwam hij vandaan?

Mijn twee sterren zaten op zijn knieën te lachen en te spelen.

En toen hoorde ik zijn stem, een warme, diepe stem die zei:

'Ik weet dat je wakker bent, Teinaki. We moeten een list verzinnen om Bo en Kauw te redden en de heksen te verjagen.'

Met een ruk schoot ik overeind. Wat zei hij daar?

Hoe wist hij wat er gebeurd was?

Ik schudde het zand uit mijn haar, wreef de slaap uit mijn ogen en keek hem recht aan in zijn zeeblauwe ogen.

'Ik ben Shan,' zei hij en hij stak zijn hand uit. 'Ik ben de vader van Bo.'

Verward keek ik hem aan en wist niets te zeggen.

'Ik heb thee gemaakt,' zei Shan, 'drink maar, ik zie dat je het nodig hebt.'

Zwijgend dronk ik mijn thee, keek naar Shan, en was blij dat hij me even tot mezelf liet komen.

Daarna hebben we lang zitten praten en hoorde ik wat er met hem gebeurd is. De Aardheksen overvielen hem in zijn hut toen Bo langs het strand zwierf. Ze bonden hem vast en namen hem mee, en ze dwongen hem te kijken hoe ze zijn boot voor de kust lieten zinken. Toen brachten ze hem naar een verre plek en bonden hem vast aan een boom in een koud en donker bos. Onderweg werd het van lente ineens zomer, herfst en daarna winter.

Ik begreep dat dit het bos was waar ik zelf ook in terecht ben gekomen toen ik verdwaalde.

Ik dacht aan de rode steen die ik gevonden had. De steen die Bo nu draagt.

Ik vroeg Shan ernaar en hij zei dat hij die steen inderdaad bij een beek had laten vallen. Hij had gehoopt dat Bo hem zou vinden en naar hem op zoek zou gaan.

Hij vertelde verder.

In het bos waren de heksen erg uitgelaten geweest, omdat Timi weer terugging naar de kust. Zij hadden de opdracht gekregen om hem te bewaken, maar zodra Timi weg was, maakten ze er een zootje van. Ze dansten en sprongen, deden tikkertje en probeerden te toveren. Shan begreep dat de heksen een geweldige hekel hadden aan Timi, en bang van haar waren omdat ze zo streng was en deed alsof ze opperheks was.

Hij begreep ook dat deze heksen niet konden toveren; ze deden maar alsof en riepen rare spreuken zonder dat er iets gebeurde.

Later maakten ze een vuur en zaten te kletsen. En zo hoorde hij over mij en over de Sterrenkring.

Maar ook dat Kira wist dat hij de zoon van een tovenaar was en hem daarom wilde vangen: ze dacht dat hij gevaarlijk was.

Ze hadden het ook over een magische cirkel die om het eiland lag en die Kira had doorbroken.

Ademloos zat ik te luisteren naar wat Shan me allemaal vertelde: hoe hij zijn touwen voorzichtig had kunnen losmaken, en wegsluipen omdat de heksen hem niet goed bewaakten.

Daarna had hij veel moeite gehad om uit dat bos te komen, maar uiteindelijk was het toch gelukt. Lang had hij rondgezworven; hij liep steeds langs een verkeerde beek en kwam telkens weer in dat griezelbos uit.

Pas gisteren kwam hij hier aan. Hij verstopte zich in het duin en zag dat de heksen uit het toverbos terug waren en gestraft werden door Kira die net was aangekomen. Ze moesten een lange strafwandeling gaan maken over het eiland.

Ik knikte, want dat hadden Bo en ik ook al bedacht.

Shan ging verder.

De heksen moesten zware stenen meezeulen onder hun zwarte mantels omdat ze Bo hadden laten ontsnappen, en hem óók nog. Vanuit zijn schuilplaats had hij alles kunnen verstaan, want Kira gilde en krijste zo hard dat het op het hele strand te horen was.

Ze had ook gegild dat ze die akelige Teinaki wel te pakken zou krijgen.

'Ze barstte zowat uit elkaar van woede,' zei Shan.

Toen was Kauw aan komen vliegen en zodra Kira hem zag, had ze hem met een toverspreuk voor haar voeten laten dalen, hem opgepakt en in een kooi gezet.

Shan kent Kauw natuurlijk goed en hij was erg geschrokken, want hij begreep nu pas hoe gevaarlijk Kira's toverkunsten zijn.

De hele dag had hij zich schuilgehouden en de heksen

zien vertrekken langs het strand. Hij had gezien dat Kira in het toverboek zat te lezen en dat ze dat boek in een zwarte doek onder haar lange rok opborg, terwijl ze zat te mompelen, alsof ze een nieuwe toverspreuk repeteerde.

Maar Bo en mij had hij pas ontdekt op het moment dat Bo het duin afholde en gevangengenomen werd door Kira!

'En nu moeten we haar en Kauw gaan redden,' eindigde Shan zijn verhaal.

Daarna vertelde ik hem het mijne, helemaal vanaf het begin. Over de Sterrenkring en over Sina en Matiki. Waarom ik naar het eiland was gekomen en de opdrachten die ik kreeg in mijn droom. Ik sloeg niets over en vertelde hem alles. Ik wist dat ik hem kon vertrouwen.

Het was een lang verhaal en nu was Shan degene die zijn mond hield en vol verbazing zat te luisteren.

17

Shan denkt dat mijn sterren een middel kunnen zijn om Bo en Kauw te bevrijden, en dat ze ons kunnen helpen om Kira te verslaan. Hij denkt ook dat de Aardheksen, en misschien zelfs Timi wel, niets liever willen dan weer terugkomen bij de Sterrenkring.

Vanmiddag zijn we gaan zwemmen. Shan wist een mooie plek een eind verderop. Er is daar een baai die beschut ligt in de armen van de duinen. Het zand is er spierwit en er liggen overal kleine schelpjes. Deze plek deed me meteen denken aan het strand waar ik aangekomen ben, en waar ik een tijdje zo gelukkig ben geweest. Waar ik zeekraal zocht en mosseltjes en schelpen voor een ketting. De plek waar ik Kauw ontmoette en niet wist dat hij bij Bo hoorde. Waar ik het watermeisje heb ontmoet en gedichten maakte voor de zee.

Nu heb ik al dagenlang geen gedichten meer gemaakt.

Ik vertelde het aan Shan en die zei dat ik me geen zorgen moest maken en dat ze vast wel weer zouden komen als de tijd er geschikt voor was.

Ik ben verdrietig omdat Bo en Kauw gevangengenomen zijn, maar blij dat Shan er nu is: zo voelt het dus om een vader te hebben. Iemand die je helemaal kunt vertrouwen en aan wie je alles mag vertellen en alles kunt vragen.

Iemand die veel van je houdt en die je nooit in de steek laat!

Shan vindt dat ik me niet al te ongerust moet maken om Bo, omdat hij weet dat ze dit allemaal aankan.

'Ik heb haar niet voor niets geleerd dat problemen er zijn om opgelost te worden,' zei hij lachend.

Ik dacht aan het lied van Bo dat ze gisteravond nog zong nadat Kira haar gepakt had.

Nu begrijp waarom Sina wilde dat ik als mensenkind moest leren leven op dit eiland. Ze wil dat ik ook zo goed leer denken als zij.

Ik zit op het strand en kijk naar Shan die aan het zwemmen is en als een dolfijn steeds weer door de golven duikt. En ik schaamde me er opeens voor dat ik, toen ik nog bij de Sterrenkring woonde, al mijn moeilijkheden altijd maar gauw probeerde op te lossen met getover.

Wat was ik nog dom toen.

Ik zat zo na te denken over dit alles dat ik niet eens in de gaten had dat Shan er weer aankwam, en pas opkeek toen hij vlak voor me stond en zei: 'Kijk eens, dit heb ik gevonden, hij lag bij de vloedlijn.'

Verbaasd keek ik naar de grote schelp in zijn handen. Het was de schelp van het watermeisje!

Voorzichtig pakte ik hem aan en hield hem tegen mijn oor. En daar was haar stem weer en het liedje dat ze zong. Ik luisterde met tranen in mijn ogen en gaf daarna de schelp terug aan Shan die hem ook aan zijn oor hield.

'Het watermeisje is in de buurt,' zei ik. 'Ik denk dat ze bij de rotsen is in de verte, daar waar die kleine poeltjes zijn.'

Shan dacht dat het beter was om eerst iets te eten voor we haar zouden gaan zoeken, dus ik pakte mijn kookpot en de vuurstenen.

We maakten een heerlijke maaltijd en Shan vertelde me over vroeger, toen hij nog een jongen was en zijn vader wilde dat hij leerde toveren. Maar dat wou hij helemaal niet, hij wilde naar de zee, om te luisteren naar het lied van de golven, te zwemmen in het water en zilveren vissen te vangen. En later wilde hij trouwen met het meisje waar hij verliefd op was en kreeg ruzie met zijn vader.

Het was het verhaal dat ik ook al van Bo had gehoord, maar Shan vertelde het zo meeslepend dat het leek alsof ik alles zelf beleefde.

18

De zon stond laag toen we naar de poeltjes liepen, de sterren mochten mee en zaten onder mijn haar te kriebelen.

Shan moet lachen om mijn sterren, maar hij denkt nog steeds dat zij ons kunnen helpen om Bo en Kauw te bevrijden.

Zelf denk ik eerder dat het watermeisje ons kan helpen.

Bij de poeltjes was het stil, het water lag te glinsteren in de plassen en er was geen enkel geluid te horen. Zelfs het gezang van de zee niet, die ver weg lag te glanzen in het avondlicht.

We liepen alle poelen langs, maar er was geen spoor te vinden van het watermeisje.

Misschien heb ik me vergist en was ze niet in de buurt. Maar hoe kwam die schelp dan op het strand terecht?

'We zoeken op de verkeerde plek,' zei Shan ineens. 'Watermeisjes wonen niet tussen de rotsen, zij hebben het wijde water nodig, anders zijn ze niet gelukkig.'

Verbaasd keek ik hem aan: hij had natuurlijk gelijk.

Intussen was het al gaan schemeren en het had geen zin om nog verder te zoeken. We besloten dus om terug te gaan.

Shan liep een eindje voor me uit, zijn blonde haren waaiden in de wind.

En toen vond ik de zeester.

Opeens was hij er, vlak voor me op het strand.

Het was een prachtige ster met gouden punten die uitgespreid in het zand lagen.

Ik zag hoe hij ademde en hoe zijn roze en gouden kleuren in elkaar overliepen, en voorzichtig pakte ik hem op en hield hem in mijn handen.

Op hetzelfde moment voelde ik dat mijn voorhoofd begon te gloeien alsof iemand er iets heel warms tegenaan hield. Even later was dat verdwenen.

Met de ster in mijn handen rende ik naar Shan. Maar Shan keek niet naar de zeester, hij keek naar mij, wees met zijn vinger naar mijn voorhoofd en stamelde: 'Jij hebt ook een ster, nu zie ik het verband!'

En toen begreep ik dat ik het teken van de Sterrenkring op mijn voorhoofd droeg en dat dit voor iedereen zichtbaar was geworden.

Mijn hoofd zat vol gedachten en zwijgend liepen we terug naar onze plek in de duinen.

Shan liep vlak naast me en keek zo nu en dan opzij alsof hij een wonder zag.

Nu is het ochtend. Ik voel me heel rustig en veilig, omdat ik weet dat ik het teken van de Sterrenkring draag.

Dit teken zal me helpen om Kira te verslaan – hoe weet ik nog niet, maar ik voel het.

Shan is gaan zwemmen; als hij terug is gaan we weer een poging doen om het watermeisje te vinden.

Maar eigenlijk denk ik dat ze bij Bo is.

Gisteravond heb ik de sterren alle drie voor me neergezet.

Eerst gebeurde er niets; mijn twee vertrouwde sterren zaten dicht bij elkaar en bekeken de zeester.

Toen kroop de hemelster naar hem toe, sloeg zijn armen om hem heen en meteen daarop deed de aardster hetzelfde en omhelsden ze elkaar.

Met hun punten in elkaar gestrengeld bleven ze een poosje zitten. Daarna begonnen ze te dansen in het zand en over het duin, lachten en kletsten honderduit, klommen in de meidoornboom en ik voelde dat ze bij elkaar hoorden zoals ook de hemel, de aarde en de zee bij elkaar horen!

Nu ik dit allemaal opschrijf, bedenk ik dat ik eigenlijk een heel andere heks geworden ben dan ik vroeger was. Mijn angst is verdwenen en ik heb het gevoel dat ik verder ook veranderd ben.

Mijn armen en benen zijn bruin van de zon, mijn rode rok lijkt wel gekrompen, of zou ik gegroeid zijn in de tijd dat ik op het eiland ben?

Maar de problemen zijn nog niet voorbij: het moeilijkste moet nog komen.

19

Vol moed zijn we weer gaan zoeken naar het watermeisje, maar we konden haar niet vinden.

Shan zag er somber uit en ik kon hem niet helpen.

Peinzend keek ik naar de sterren die stilletjes in de zon zaten.

Toen pakte ik de schelp op en hield hem aan mijn oor. Eerst hoorde ik niets, daarna een zacht geruis en opeens, als van heel ver, de stem van het watermeisje.

Maar nu zong ze geen liedje, ze zei iets, heel zachtjes en ik weet zeker dat het voor mij bestemd was.

'Zoek mij, vind mij bij de zee
neem de sterren met je mee

kom alleen, om middernacht
waar ik onder maanlicht wacht.'

Het watermeisje, ze was in de buurt!

Ik durfde het haast niet te geloven en opgewonden vertelde ik het aan Shan en gaf hem de schelp, maar hij hoorde de stem niet.

Toch kwam er een blijde glimlach op zijn gezicht. Want we wisten allebei dat er nu iets zou gaan gebeuren en dat ik het watermeisje zou ontmoeten.

Ik kon bijna niet wachten tot het donker was, zo graag wilde ik haar zien.

De avond duurde lang. Ongeduldig zat ik te kijken en te

wachten tot de maan opkwam en de sterren langs de hemel schoven.

Pas wanneer die in de juiste stand stonden, was het middernacht en kon ik naar het watermeisje toe.

Eindelijk was het zover!

'Nu moet je gaan,' zei Shan. 'Ik zal op je wachten.'

Ik nam de sterren in mijn armen en holde het duin af.

In een rechte lijn liep ik naar het water, en dicht bij de vloedlijn zag ik haar eindelijk terug.

Ze zat op een grote steen, haar lange haren glansden in het maanlicht.

Toen ik vlakbij was draaide ze zich om, glimlachte en zei: 'Welkom, Teinaki, ik ben gekomen om je te helpen.'

Ik was erg verlegen en wist niet wat ik zeggen moest.

Toen begon het watermeisje te vertellen. Ik keek in haar zeegroene ogen en hoorde haar zachte stem. Ze vertelde dat ze Bo gezien had: die zit opgesloten in een grote kooi die bij het water staat.

Ook Kauw zit in een kooi, ze worden bewaakt door Kira.

'We moeten een list bedenken om Kira te vangen,' zei het meisje. 'Ik zal je helpen, maar nu kan het niet. Morgen om middernacht is de beste tijd.'

Daarna vertelde ze me over de grote storm aan de andere kant van het eiland: de storm waarvoor ik gevlucht ben. Ze vertelde over het woeste water, het onweer en het geweld van die nacht.

Ze was bang geweest dat mij iets overkomen was en is de volgende dag meteen op zoek gegaan.

Maar ik was weg, mijn hut was omgewaaid en in het zand vond ze de grote schelp terug.

Ze vertelde ook over zichzelf. Zij is de dochter van de heks

Salsa, die diep in het water woont, en ze heet Mare, maar dat wist ik al van Bo.

Haar moeder is erg oud en Mare zal haar binnenkort opvolgen als hoofd van de zeeheksen. Maar voor die tijd moet ze verschillende opdrachten vervullen. Net als ik dus!

Mare zei dat een van haar opdrachten was mij te helpen, en dat ze van haar moeder toverkracht had gekregen om dat te kunnen doen.

Van Mare was ook de stem in mijn hoofd die me stuurde als ik iets echt niet meer alleen kon.

'Maar ik wist dat jij ook opdrachten kreeg en mocht je dus niet te veel helpen,' zei ze.

Daarna hoorde ik nog veel over het leven onder het water, en dat oude zeeheksen wanneer ze weggaan niet verdwijnen naar het land achter de sterren, zoals bij ons, maar opgenomen worden door het water en zeeschuim worden.

Met grote ogen zat ik te luisteren. Want alle verhalen, ook die van Bo en Shan, hebben op een of andere manier iets met elkaar te maken.

De sterren waren van mijn schoot gegleden en speelden vlak bij ons aan de vloedlijn.

Ik vroeg Mare of ze iets wist over mijn opdracht van de drie sterren.

Maar ze wist alleen dat wanneer ik alle drie de sterren gevonden zou hebben, het teken van de Sterrenkring zichtbaar zou worden op mijn voorhoofd.

'Ik heb nog nooit een aardster en een hemelster van dichtbij gezien,' zei ze verlegen. 'Daarom vroeg ik of je ze meenam. Ik ken alleen maar zeesterren en was nieuwsgierig.'

Ik schoot in de lach, want dat gevoel kende ik.

Mare vertelde me dat zeeheksen nooit ver weg mogen

gaan van het water omdat ze anders het contact met de zee kwijtraken en kunnen verdwalen.

'Daarom moeten we samenwerken morgennacht: jij vanaf het strand en ik vanuit het water.'

En toen vertelde ze me haar plan.

20

Toen ik terugkwam bij Shan, had hij thee voor me gemaakt.

Ik vertelde hem over het watermeisje en wat we allemaal besproken hadden.

Hij luisterde stil en onderbrak me geen moment.

Toen ik uitgepraat was, zei hij: 'Ik hoop dat het plan zal lukken, maar ik vind het erg riskant. Je hebt het teken dat je draagt nog nooit gebruikt en je moet vertrouwen op een toverspreuk van een ander, durf je dat wel?'

Ik zei dat we geen keus hadden en dat ik Mare volkomen vertrouwde.

Daarna zijn we gaan slapen en werden pas wakker toen de zon al hoog aan de hemel stond.

Het was een rustige dag. De zon was warm en we kropen in de schaduw van de meidoornboom.

Ik keek naar het water en vroeg me af wat Mare aan het doen was en of haar moeder Salsa ons zou willen helpen en me een toverspreuk zou willen geven.

Wel honderd keer hield ik de grote schelp aan mijn oor, maar ik hoorde alleen een zacht geruis: de stem van het watermeisje hield zich stil.

'Wees toch niet zo ongeduldig,' zei Shan. 'Het duurt vast nog uren voor ze je iets door kan geven, dat heeft ze toch zelf gezegd?'

Ik wist dat hij gelijk had, maar hield toch steeds de schelp aan mijn oor.

En opeens was er een liedje! Het kwam niet uit de schelp maar zat in mijn hoofd en ik hoorde het heel duidelijk: het waren mijn eigen gedachten die zongen.

Het was een gedicht en een liedje tegelijk en ik kende meteen de melodie en neuriede het zachtjes.

'Wat een mooi wijsje zing je daar,' zei Shan. 'Is dat een liedje van de Sterrenkring?'

'Nee, ik heb het zelf gemaakt,' antwoordde ik verlegen. 'Het gaat zo:

De dag gaat open
de dag gaat dicht
mijn hoofd zit vol met dromen.

Daarom zing ik dit gedicht
dat als een zee zal stromen.'

Zachtjes zong ik het liedje in de grote schelp, in de hoop dat de schelp nu ook eens een keer iets van mij zou doorgeven aan iemand.

Shan zong mee, de sterren rekten zich uit en begonnen te wiegen en met z'n allen dansten we door het duin.

'We moeten ons niet te vroeg verheugen,' zei Shan. 'Er kan nog van alles misgaan en we moeten op alles voorbereid zijn.'

Natuurlijk wist ik dat ook wel, maar toch waren we allebei uitgelaten. We plukten kruiden bij het meertje. Ik vond weidechampignons en Shan heerlijke wortels die hij uitgroef.

Daarna gingen we zwemmen.

We schoten door het water als dolfijnen en we dronken koel water uit twee grote mosselschelpen.

Na het eten doezelden we wat onder de meidoorn en toen het avond werd, zaten we zwijgend bij de zee. We zagen hoe de zon verdween en de maan opkwam boven het duin. We zaten op precies dezelfde plek als die waar ik gisteren met het watermeisje had gezeten, en even dacht ik haar te zien in het licht van de ondergaande zon.

Het leek alsof er geen eind aan de avond kwam!

Steeds weer pakte ik de schelp om te luisteren of er al een boodschap was.

Shan werd er zenuwachtig van.

'Luister,' zei hij. 'We zijn veel te onrustig, daar moeten we iets aan doen. Want we moeten vannacht juist rustig zijn.'

En toen leerde hij mij de avondgroet van de visserman. Die gaat zo. Je gaat rechtop in het maanlicht staan en houdt je armen recht naar de hemel. Daarna buig je heel langzaam naar het noorden, het oosten, het zuiden en het westen. En bij elke buiging die je maakt zeg je: *Heb dank voor wat u ons gaf vandaag.*

Daarna maak je een buiging naar de zee en zeg je deze woorden:

Het water geeft
aan al wie leeft.
Deze visserman groet u.

Shan vertelde me dat de vissers van de eilanden dit al jaren en jaren doen. Elke avond brengen zij hun groet aan de zee, in de hoop dat de zee hen de volgende dag weer zal helpen bij de vangst en hen weer veilig terug zal brengen naar de kust.

Nu is het laat, straks is het middernacht.

De boodschap van Mare heb ik ontvangen in de schelp.

De spreuk heb ik uit mijn hoofd geleerd.
De sterren heb ik in de kookpot gezet.
Shan roept me. We moeten gaan.

21

Er was geen wind.

We liepen achter elkaar het duin af naar de zee.

Bij de vloedlijn troffen we Mare.

'Weet je de spreuk?' vroeg ze.

Ik knikte en geruisloos verdween ze in de donkere golven.

De spreuk zat zo diep in mijn hoofd dat ik hem beslist mijn hele leven zou onthouden.

De maan hing als een ballon boven het water.

Eerst liepen we langs de vloedlijn, later langs de duinen en daarna slopen we door het hoge duingras.

Shan wist de weg en we naderden de plek waar de hut van hem en Bo stond. De hutten van de Aardheksen stonden wat verderop.

Mare zwom met ons mee, we wisten dat ze er was.

We zagen Kira zitten op het strand. Lange slierten haar hingen voor haar ogen. Voor het eerst zag ik haar van dichtbij.

Ze zat te lezen in het toverboek maar keek steeds zenuwachtig om zich heen. Ze was helemaal alleen en mompelde in zichzelf.

We lagen stil te kijken en wachtten op het teken van Mare, dat ze ons vanuit het water zou geven.

Het wachten duurde lang, mijn hart bonsde in mijn keel, want ik wist dat wanneer ik ook maar één fout zou maken, alles voorgoed verloren was en Kira voor altijd de baas zou zijn.

En toen was het zover.

De maan schoof achter een wolk en vanuit het water klonk een diep gerommel.

Dat was het teken van Mare. NU...

Ik zag hoe Kira verschrikt opkeek, hoe ze luisterde, opsprong.

Ik hoorde haar kreet van angst, alsof ze begreep wat er zou gaan gebeuren.

Op hetzelfde moment rende ik het duin af en riep haar naam.

Razendsnel draaide ze zich om en strekte haar wijsvinger naar me uit.

Maar ik was sneller, mijn gekruiste wijsvingers wezen recht naar haar ogen en ik riep wat ik roepen moest:

'Kira, Kira
Pe-Ki-To.'

Het teken op mijn voorhoofd begon te gloeien. Het spatte vuur en de kracht van het teken wierp me omver. Ik snakte naar adem en viel languit in het zand.

Maar de spreuk had gewerkt, want opeens was het doodstil.

Voorzichtig krabbelde ik overeind en keek naar Kira.

Daar stond ze, en voor mijn ogen zag ik haar kleiner worden en in elkaar schrompelen zoals ik het bevolen had in de spreuk.

De spreuk van Salsa.

De spreuk die Mare in de schelp had gefluisterd.

Het was gelukt. De tranen sprongen in mijn ogen.

Opeens stond Shan naast me, hij sloeg zijn arm om me heen en samen keken we naar Kira die zo klein geworden was als een muis. Ze rende heen en weer door het zand alsof ze niet begreep wat er aan de hand was.

We hoorden haar piepen en zachtjes gillen.

'Kom, we gaan Bo en Kauw bevrijden,' zei Shan. 'Maar Kira mag niet weglopen.'

Met grote stappen liep hij naar haar toe en tilde haar op uit het zand.

En daar zat ze, midden op zijn hand en gilde en piepte en krijste het uit. Ze wilde van de hand springen maar durfde niet.

Snel pakte Shan een taaie helmspriet en bond Kira stevig vast bij een van de hutten.

Ze sprong op en neer van nijd en zwaaide met haar armen.

'Ga hier maar een beetje dansen,' zei hij pesterig.

Eindelijk, eindelijk konden we Bo gaan bevrijden. Uit de verte hoorden we haar zingen.

'Ik denk dat ik het kan
ik denk dat ik het kan

niemand weet het
ik ben Bo

soms doe ik zus
en soms doe ik zo.'

Het zingen klonk uitdagend en we renden over het natte zand.

En daar was ze, maar hoe!

Diep in de golven stond ze, in een grote kooi, tot haar nek in het water.

Mare zwom om de kooi heen en probeerde uit alle macht hem open te maken. Haar ogen keken bang, want het lukte niet.

Shan sprong meteen het water in, zwom om de kooi heen en riep: 'Volhouden, nog heel even volhouden, ik krijg die kooi wel open, echt!'

Het water steeg en bereikte soms al even de mond van Bo. Ze hield hem stijf dicht en hapte zo nu en dan snel naar adem. Ze probeerde nog wel te zingen maar het lukte niet meer goed, want steeds sloeg er een golf over haar hoofd heen. Ze rekte haar hals zover ze kon...

Ik klappertandde van angst. Als het Shan niet lukte, zou Bo verdrinken!

Maar eindelijk kon Shan het slot van de kooi openbreken, en net op tijd tilde hij haar uit het water.

Meer dood dan levend lag ze in zijn armen. Shan waadde door de branding en nam haar mee naar het strand.

Bo bibberde over haar hele lijf en huilde van opluchting.

Terwijl Shan haar wegdroeg, hoorden we opeens de stem van Kauw die nog steeds gevangenzat en ergens bij de hutten moest zijn. We waren hem bijna vergeten!

Ik holde erheen en vond hem in een van de heksenhutten, opgesloten in een houten kooi die ik snel openmaakte.

Hij kroop meteen op mijn schouder, pikte in mijn haar en riep eindeloos zijn naam.

Ik nam hem mee naar buiten. Hij hield zijn kopje scheef, zag Shan op het strand zitten met Bo en vloog meteen naar haar toe.

Stilletjes ging ik ook in het zand zitten. Ik was opeens ontzettend moe. Het leek alsof mijn benen steeds zwaarder werden en me niet meer wilden dragen.

Het Sterrenteken op mijn voorhoofd gloeide en mijn hoofd deed pijn.

In de verte hoorde ik zingen, maar ik was te moe om er op te letten; het zou Bo wel zijn.

Maar het was Bo niet, dit zingen klonk heel anders, veel hoger en ruisend als de zee.

En toen wist ik wie het was. Het was Mare die zong, maar het was niet het liedje dat ze ooit had gezongen voor Bo en mij. Dit was anders en ik kende het, want het was het liedje dat ik zelf gemaakt had en in de schelp had gezongen voor haar en haar moeder Salsa!

'De dag gaat open
de dag gaat dicht
mijn hoofd zit vol met dromen.

Daarom zing ik dit gedicht
dat als een zee zal stromen.'

Hoe kon ik haar vergeten, ze had ons zo goed geholpen!

Ik herinnerde me opeens wat ze gisteren had verteld. Dat zeeheksen nooit te ver van de zee weg kunnen, omdat ze dan het contact met het water verliezen en verdwalen.

Snel stond ik op en liep naar de vloedlijn.

22

Mare lag languit op haar rug bij het water. Ze keek naar de sterren boven haar hoofd en naar de maan die langzaam door de hemel zeilde.

Toen ze me aan hoorde komen ging ze rechtop zitten, keek om en zei: 'Het is gelukt, Teinaki.'

Ik ging naast haar zitten en vertelde hoe alles gegaan was en hoe klein Kira was geworden en dat Shan haar had vastgebonden bij een van de hutten waar ze nu woedend op en neer stond te springen en te krijsen.

Mare lachte en genoot van het verhaal. Vanuit de zee had ze ons gezien. Ze vertelde me hoe bang ze was geweest toen ze de kooi van Bo niet open kon krijgen en het water langzaam had zien stijgen.

We zwegen een hele poos en keken naar de sterren.

Opeens keek Mare me aan en vroeg: 'Wat ga je nu doen? Weet je al wanneer je van het eiland kunt? De betovering is nu verbroken en ik denk dat je je opdracht hebt vervuld. Komen Sina en Matiki je halen?'

Daar had ik nog niet bij stilgestaan.

'Ik weet het niet,' zei ik, 'ik zal maar afwachten, misschien krijg ik wel een droom met een opdracht, zoals vroeger.'

En nu is het ochtend, we zijn terug in het duin en ik heb mijn sterren uit de kookpot gehaald. Ze begonnen meteen door elkaar te rennen en te spelen in het zand.

Mare is teruggezwommen naar het waterpaleis van haar

moeder en we hebben afgesproken dat we elkaar vanavond weer zien.

Shan heeft een piepklein kooitje gemaakt van grassen en hout, daar hebben we Kira in gezet. Ik heb geen idee wat we met haar moeten doen en hoop maar dat ik een bericht krijg van Sina of Matiki.

We durven haar niet los te laten, en eigenlijk ben ik nog steeds een beetje bang van haar en durf niet goed naar haar te kijken.

Shan en Bo hebben de visstokken uit de hut gehaald en zijn gaan vissen. Als ik naar de zee kijk zie ik ze bezig, ze staan tot hun knieën in het water en Bo heeft twee stokken in het zand gezet waar ze de gevangen vissen aan hangt. Het ziet er allemaal net zo uit als de eerste keer dat ik haar zag, alleen is Shan nu bij haar.

En Kauw natuurlijk.

Ik voel me een beetje verdrietig. Er is zo veel gebeurd en nu eindelijk alles is goed gekomen, voel ik me triest. Vreemd is dat.

Maar ís alles wel goed gekomen?

Bo en Shan zijn weer samen, dat is heerlijk natuurlijk.

Kira is verslagen en dat is nog veel fijner.

Maar opeens weet ik het: ik ben nog niet klaar. Nog niet alles is gelukt, want de andere Aardheksen zijn er nog!

Door alles wat er gebeurd is heeft niemand meer aan de heksen gedacht, die hun strafwandeling maken en vandaag wel terug zullen komen.

Sina verwacht vast van me dat ik hier ook nog een oplossing voor bedenk.

En er is nog iets dat ik vergeten ben: het grote toverboek waar Kira gisteravond in zat te lezen.

Waar zou het zijn? Het ligt vast nog op het strand bij de hutten; ik moet het gaan halen, stel je voor dat iemand het vindt. Timi, of een van de andere Aardheksen. Met het toverboek kunnen zij weer dingen verzinnen om Kira vrij te krijgen misschien, of om ons weer te pesten.

Geen wonder dat ik niets van Sina hoor...

Laat ik maar naar de zee gaan en tegen Shan en Bo zeggen dat ik het toverboek ga halen.

Terwijl ik dit opschreef, hoorde ik opeens een zacht gegiechel. Ik keek op.

Het gegiechel kwam uit de kooi waarin Kira zat.

En toen schrok ik geweldig, want daar zat Kira midden in de kooi en las in het toverboek. Het boek was net zo klein geworden als zij en het lag op haar schoot.

Toen ze me zag, grinnikte ze en brabbelde iets dat ik niet kon verstaan. Haar wijsvinger wees naar me en ik weet zeker dat ze een spreuk probeerde om me te betoveren.

Ik werd zo bang dat ik hard het duin afholde naar Shan en Bo.

'Hou nu eens op met bibberen,' zei Shan.

Ik zat tussen hem en Bo in en hun armen lagen om mijn schouders.

'We hebben het toch nog steeds gered,' zei Bo voorzichtig.

Maar ik luisterde niet en kon alleen maar zeggen: 'Alles begint weer opnieuw, ik weet niet meer wat ik moet doen. Sina is vast boos op me, ik doe alles fout. Straks komen de Aardheksen terug van hun strafwandeling en Kira leest in het toverboek. Ik weet zeker dat ze iets aan het bedenken is en wat moeten we dan doen?'

En toen zei Shan iets waarom we allemaal in de lach schoten: ‘Kleine heksjes roepen kleine spreukjes en die tellen niet.’

Even was het stil, maar toen keken we elkaar aan met lachende ogen. Shan had gelijk. Ik voelde mijn energie weer terugkomen. Natúúrlijk had hij gelijk. Wat kon die piepkleine Kira nu nog voor kwaad doen?

‘We gaan naar de hutten,’ zei Shan. ‘Daar vangen we de Aardheksen op, maar eerst gooien we een doek over de kooi van Kira, want als ze niets ziet, kan ze ook niets doen. Zo simpel is het.’

Opgelucht keek ik hem aan.

We liepen terug naar het duin. Kira zat nog steeds in de kooi en las in het toverboek. Maar nu was ik niet meer bang van haar, de woorden van Shan hadden me weer moed gegeven.

Met gekruiste wijsvingers liep ik naar de kooi toe en zei: ‘Nooit zul je iemand nog kwaad doen, Kira, ik zweer het je bij alles waar ik van hou.’

Daarna gooide ik mijn blauwe sterrendeken over de kooi heen.

23

We lagen achter het duin en keken naar de zee. De Aardheksen waren nog niet terug.

De kooi met Kira stond naast me met de blauwe deken eroverheen.

Ik rilde als ik eraan dacht wat ik straks zou moeten doen, maar Shan legde zijn hand geruststellend op de mijne.

'Het komt goed,' zei hij. 'Je kunt het, het is een goed plan.'

Bo zong zacht een liedje dat ik nog niet kende:

'Kom maar, kom maar
wees niet bang
ook al duurt het wachten lang
luister naar mijn waterzang.'

Vragend keek ik haar aan en ze vertelde me dat Mare dit voor haar gezongen had toen ze om de kooi heen zwom en het water steeds hoger kwam.

Ik wilde iets zeggen, maar Shan legde een vinger op zijn lippen en wees naar de figuurtjes die langs de vloedlijn aan kwamen lopen.

Daar waren de Aardheksen!

'Nu moet je gaan, en doen wat je bedacht hebt.'

Ik pakte de kooi, liep het duin af en ging in de hut van Kira zitten. Het was er schemerig en het rook er muf.

Ik zag de Aardheksen naderen, Timi liep voorop.

Ze keken niet op of om en zeiden niets.

Toen ze vlak bij de hutten waren, stonden ze stil en gingen op een rij staan wachten.

Timi deed een paar stappen naar voren en riep: 'Kira, we zijn terug, straf ons niet verder, we zullen alles doen wat je zegt. Als je wilt gaan we Teinaki voor je vangen.'

De heksen keken ongerust om zich heen toen er geen antwoord kwam. Timi probeerde het nog een keer, haar stem klonk vleiend.

'Kira, Kira, alsjeblieft, laat ons niet alleen, waar ben je?'

Ik stond op, pakte de kooi en ging naar buiten.

'Jullie hoeven mij niet te vangen, ik heb iets voor jullie gevangen,' riep ik en ik trok met een zwaai de deken weg.

De heksen sprongen naar voren, maar toen ze de kooi zagen schrokken ze en deinsden achteruit. Vol angst keken ze naar Kira die als een gek heen en weer sprong met zwaaiende armen.

Daarna keken ze naar mij en ik wist dat ze het Sterrenteken op mijn voorhoofd zagen.

'Zitten allemaal,' commandeerde ik. 'Nu ben ik de baas en jullie doen wat ik zeg, begrepen?'

Zwijgend gingen ze in een grote kring zitten.

Ik pakte de kooi en zette hem in het midden.

'En nu kijken,' riep ik.

Schuw keken ze naar de kooi en naar Kira die nog steeds heen en weer sprong.

'Dit is het lot van elke heks die niet meteen doet wat ik zeg.'

Kira werd zo woedend dat ze met haar hoofd tegen de bovenkant van de kooi sprong.

Ik raapte mijn blauwe deken op, die nog in het zand lag. En op hetzelfde moment voelde ik dat het teken op mijn voorhoofd begon te gloeien.

Voor mijn ogen zag ik heldere sterren vallen die zich aan mijn deken hechtten tot hij helemaal vol sterren was en glinsterde in de zon.

De heksen zagen het ook en gooiden zich voorover in het zand. Zelfs Kira hield op met springen en ging in een hoekje van de kooi zitten met haar hoofd in haar handen.

Nu is het avond.

We hebben de heksen aan een lang touw vastgebonden bij de hutten.

Ik ben boven op het duin geklommen om in mijn boek te schrijven. De sterren zijn bij me en proberen me te plagen. Ze zijn vandaag erg uitgelaten, het lijkt of ze in de gaten hebben dat er iets gebeurd is om blij mee te zijn.

Ik zit op mijn sterrendeken en de schelp ligt naast me.

Shan en Bo lopen bij de vloedlijn, ze schrijven iets in het zand met een stok.

Ik heb even geslapen geloof ik, want ik heb gedroomd.

In mijn droom zag ik het Sterrenbos en Sina en Matiki. Ze waren bij de beek en spraken met elkaar, maar ik kon niet verstaan wat ze zeiden.

Ik zag de jonge heksen van de Sterrenkring die kruiden zochten en de oude bosvijver, en het leek alsof ik de geur van verse watermunt kon ruiken.

Vlak voor ik wakker werd hoorde ik heel duidelijk de stem van Sina die iets zei. Ze lachte en wees naar de hemel, naar de aarde en daarna naar het water.

Ik begreep er niets van en kon haar niet verstaan.

De droom maakt me blij.

En nu zie ik iets waardoor ik nog blijer word. Want in het natte zand bij de zee staat geschreven:

Teinaki, we houden van je!
Er vlak naast staan Shan en Bo, ze zwaaien naar me.

24

Ik heb Kira een stukje vis gebracht en water. We kunnen haar niet laten verhongeren.

Ze keek erg kwaad, probeerde in mijn vinger te bijten en gooide uit nijd het toverboek door de kooi. Dat kwam zo dicht bij de tralies terecht dat ik het meteen kon pakken. Daarna werd ze nog woester en nu zit ze in een hoekje met haar zwarte rok over haar hoofd.

Het toverboek is zo klein geworden dat je de letters niet meer kunt lezen. Ik heb het in een blad verpakt en weggestopt in de kookpot tussen het mos.

De andere heksen heb ik ook eten gebracht. Ze durfden me niet aan te kijken.

Ik vertelde mijn droom aan Shan en Bo.

Bo denkt dat de droom iets te maken heeft met mijn drie sterren en met de sterren die op de blauwe deken verschenen zijn.

Misschien heeft ze gelijk. Maar ik denk ook dat Sina me in die droom wilde laten zien dat alles goed is in het Sterrenbos en dat ik binnenkort terug zal mogen.

Tot die tijd blijf ik op het strand bij Bo en Shan. Morgen ga ik een hut voor mezelf bouwen in het duin.

Bo en ik hebben gezwommen en gespeeld en gedoken in het water. Er waren kleine zilveren visjes die langs ons heen schoten en bij de grote rotsen zagen we zeeanemonen.

Shan is begonnen een nieuwe boot te bouwen. Hij heeft

hout gezocht op het strand en is al uren druk bezig.

Als de zon weg is, ga ik naar Mare.

Ik heb het gevoel dat dit de laatste keer zal zijn dat ik haar zal zien en spreken.

Mijn gevoel heeft me niet bedrogen.

Mare was er al toen ik aankwam, ze zat bij de zee en maakte een krans van zeewier en schelpen. Stilletjes ging ik bij haar zitten.

'Ik kom afscheid nemen,' zei ze. 'Mijn opdracht is klaar, ik moet terug naar het waterpaleis.'

Ik keek haar aan en dacht aan de allereerste keer dat ik haar zag in het water aan de andere kant van het eiland. En aan de schelp met het liedje dat me zo getroost heeft.

'Ik weet waar je aan denkt,' zei ze glimlachend. 'We zullen elkaar nooit vergeten!'

Voorzichtig legde ze de krans van wier en schelpen op mijn haar en fluisterde: 'Deze krans zal altijd fris blijven, ik geef je hem als aandenken. Het is mijn eerste echte toverstuk, want vandaag heeft Salsa me alle toverkracht gegeven omdat ik geslaagd ben voor mijn opdrachten.

De schelp moet je ook meenemen als je teruggaat naar het Sterrenbos. Als je hem aan je oor houdt, zul je de stem van de zee horen en weten dat ik daar ben. Maar er zal geen lied of een boodschap meer in klinken, zoiets kan alleen bij het water.'

Zwijgend omhelsde ik haar en toen was ze weg. Dwars door het gouden licht van de maan zwom ze de zee in.

Ik heb gehuild, omdat ik wist dat ik haar nooit meer zou zien. Maar ook van blijdschap, omdat ze geslaagd was in al haar opdrachten en Salsa haar de toverkracht had gegeven die ze nodig zal hebben als ze hoofdheks wordt.

En zachtjes begon ik te zingen: een liedje voor het watermeisje.

'Water, neem geheimen mee
voor het meisje van de zee
water, water, laat haar weten
dat ik haar nooit zal vergeten.'

Terwijl ik het zong, zag ik een ster vallen in de gouden waterbaan waar Mare net verdwenen was en ik wist dat ze mijn lied gehoord had.

En toen was Kauw er en kroop in mijn armen. Hij babbelde tegen me en streek met zijn snavel langs mijn wang. Hij kriebelde in mijn haar en pikte zachtjes naar mijn mond.

De hele dag was hij opgewonden geweest, blij dat hij weer vrij was. Verbaasd had hij naar de kooi gekeken waar Kira in zat, liep er rondjes omheen en pikte nijdig naar haar. En tegen iedereen babbelde hij en vertelde zijn verhaal opnieuw. Tenminste, dat zei Bo, want ik kan hem nog steeds niet verstaan.

'Het watermeisje is weg, Kauw,' zei ik tegen hem.

Hij hield zijn kop scheef en keek me aan met zijn kleine kraaloogjes.

'Kauw, kauw,' zei hij.

'Binnenkort ben ik waarschijnlijk ook weg, dan zien we elkaar nooit meer.'

Ik streelde de grijze veertjes op zijn kop en kriebelde hem onder zijn kin.

Hij zei niets terug en begon zijn veren te poetsen.

'Begrijp je me? Misschien ga ik ook weg, Kauw. Ik zal je missen.'

Opeens dwarrelde er een zwarte glanzende veer op mijn schoot. Kauw nam hem in zijn bek en bood hem me aan. Was het een afscheidsgeschenk?

Liefkozend aaide ik hem nog een keer over zijn kop en toen vloog hij weg.

Maar niet voor lang, want daar was hij alweer terug met Bo en Shan.

'Gaat het?' vroeg Bo en ze keek bezorgd naar mijn natte gezicht.

Ik knikte en liet haar de krans zien die ik van Mare gekregen had. En de veer die Kauw me had gegeven.

'Dit is een avond van afscheid nemen.' Verbaasd hoorde ik het mezelf zeggen, want hoe kon ik dat nu weten?

En toch voelde ik het opeens heel sterk: dit zou de laatste avond zijn dat ik hier was.

'Wees niet verdrietig, Teinaki,' zei Shan. 'Alles is goed zoals het is. Je hebt gedaan wat je moest doen, je hebt de opdrachten voltooid, je hebt Bo en mij geholpen, je hebt Kira en de Aardheksen gevangen, en je hebt je angst overwonnen.'

Bo knikte. 'Shan heeft gelijk, maar we zullen je ontzettend missen als je weg bent.'

'Ik denk,' zei Shan peinzend, 'ik denk dat er nu wel weer snel mensen op het eiland zullen komen wonen. De betovering is verbroken en dat hebben we aan jou te danken.'

Daarna liepen we terug naar het strand, en Bo en Shan gingen in de hut slapen.

Ik lag in mijn sterrendeken gewikkeld onder de sterren en dacht aan het Sterrenbos.

25

Toen ik wakker werd, keek ik verbaasd om me heen. De zon stond al hoog en scheen warm in mijn gezicht. Boven mijn hoofd zag ik de takken van de oude vlier langzaam heen en weer wuiven.

Ik was terug op het witte strand!

Het strand waar Sina en Matiki me heen gebracht hadden en waar alles begon.

Het strand waar ik mijn hut gebouwd had.

Het strand waar ik het watermeisje voor de eerste keer ontmoet heb en de schelp met het liedje vond.

Het strand waar ik Kauw ontmoette, hier vlakbij, bij deze vlier!

Ik wist weer hoe bang ik was die allereerste ochtend. Maar nu keek ik naar de blauwe hemel en voelde me gelukkig, omdat ik wist dat ik me nergens meer zorgen om hoefde te maken, want vlak bij me, naast me...

Nog voor ik het dacht, wist ik het al en keek opzij.

Sina en Matiki zaten in het warme zand naar me te kijken.

Naast hen stond de kooi met Kira erin.

Het was heerlijk om hen weer te zien. Ik had zoveel te vertellen!

Sina heeft me steeds kunnen zien in haar glazen Ster, maar nadat Kira de magische cirkel om het eiland had verbroken, kon ze geen contact meer met mij maken en ook geen opdrachten geven in een droom.

'We waren erg ongerust,' zei ze. 'Elke dag keken we tientallen keren in de glazen Ster om te zien wat er gebeurde, waar je was en hoe je het oploste.'

Sina pakte mijn hand. 'Ik ben geweldig trots op je en heel blij dat je Kira hebt overwonnen en de Aardheksen hebt gevangen.'

'Alleen had ik het niet gekund,' zei ik zachtjes. 'Bo en Shan hebben me geholpen en ook Mare, het watermeisje.'

Opeens dacht ik aan Kira en aan de Aardheksen. Hoe zou het nu verder met ze moeten gaan?

Ik vroeg het aan Sina en die lachte.

'Kom en kijk in de glazen Ster,' zei ze.

En daar waren ze: alle Aardheksen, vastgebonden bij de hut, ik zag ze zo goed dat het leek alsof ik er zelf bij was.

En daar was Shan met Bo en Kauw; hij vloog rondjes. Ik zag dat hij zijn snavel opendeed en iets riep.

Ik zag hoe Shan naar de heksen toe liep. Ik zag hoe hij achteromkeek met een vragende blik en Sina knikte en zei: 'NU!'

En toen maakte Shan de touwen los, de heksen veranderden in vlinders en vlogen langzaam weg over de wijde zee.

Verbaasd keek ik naar Sina en stamelde: 'Hoe kan dit nu?'

'Omdat ik weer kracht heb gekregen, dankzij jou,' lachte Sina. 'En omdat Shan de zoon is van een tovenaar.'

Ik snapte het niet helemaal en keek, keek maar naar die vlinders die langzaam omhoog dwarrelden in het blauw van de lucht boven het water en langzaam verdwenen in de verte.

'En Kira?' vroeg ik.

'Die gaat met ons mee,' zei Matiki. 'Zij mag niet los, want zij is het brein van het kwaad. We nemen haar mee naar de

Sterrenkring, zij zal altijd klein blijven en voor ons een waarschuwing zijn voor alles wat kwaad en slecht is.'

En nu ben ik terug in het Sterrenbos en zit hier bij onze eigen beek. Mijn voeten spetteren in het water en ik schrijf in mijn boek.

Het boek dat ik van Sina kreeg toen ik naar het eiland ging.

Het boek waar dit hele verhaal in staat over alles wat ik dacht, voelde en beleefde.

Het boek is bijna vol, zoveel heb ik geschreven!

De kooi met Kira staat in het bos op de open plek waar de wind in de bomen zingt. De heksen van de Sterrenkring waren eerst bang van haar, maar nu niet meer. Ze weten dat Kira hen nooit meer kwaad kan doen.

Ik ben degene die haar elke dag eten en drinken moet brengen. Het duurde heel lang voor ze niet meer sprong en gilde, maar nu zit ze meestal rustig in haar kooi en soms lacht ze naar me.

Sina zegt dat ze over een lange tijd misschien wel uit de kooi mag.

Het piepkleine toverboekje heeft Sina aan haar teruggegeven. Volgens haar heeft het alle kracht verloren omdat het nu zo klein is.

Kira zit er elke dag in te lezen.

De schelp van Mare ligt naast me. Af en toe houd ik hem tegen mijn oor, dan hoor ik het ruisen van de zee.

De zwarte veer van Kauw heb ik aan een touwtje om mijn nek gehangen – soms kietelt dat een beetje en dan lijkt het alsof Kauw even bij me is, dan hoor ik hem in gedachten roepen en streel ik de grijze veertjes op zijn kop.

Er zijn nog veel dingen die ik niet weet. Daarom ben ik blij dat Sina nog even blijft. Als er zeven Manen voorbij zijn, word ik ingewijd als nieuwe hoofdheks van de Sterrenkring en gaat ze mee met Matiki naar het land achter de sterren.

Elke avond kijk ik in de glazen Ster van Sina en dan zie ik Bo en Shan en Kauw. Het eiland ziet er zo mooi uit! Soms heb ik heimwee, dan zou ik graag willen zwemmen met Bo.

Ook denk ik vaak aan het watermeisje en dan kijk ik naar de krans van zeewier en schelpen die ze voor me gemaakt heeft. Ze had gelijk, de krans blijft prachtig fris en groen en wanneer ik hem draag ruik ik de zilte geur van de zee.

Sina zegt dat we binnenkort terug zullen gaan naar de kust om weer te gaan wonen bij het water, zoals lang geleden.

Mijn drie sterren zijn bij me gebleven: daar ben ik blij om. Ze wonen niet meer in de kookpot maar dwalen de hele dag door het bos en langs de beek.

'Hemel, Zee en Aarde,' zegt Matiki. 'Dat is waar wij bij horen, dat mogen we nooit vergeten.'

Ik zit bij de beek en luister naar het ruisen van de zee in de schelp die ik van Mare kreeg. En ik denk aan het lied dat ik zelf lang geleden zong toen ik pas op het eiland was:

Golven die komen
laten me dromen.

Golven die gaan
laten me staan.

Ik ben Teinaki
het eilandenkind.

Ik doe wat ik doe
en ik vind wat ik vind.

De avond wordt oud, ik schrijf dit op de laatste bladzijde van mijn boek.

Duizenden sterren staan boven mijn hoofd.

Soms lijkt alles een droom, dan kan ik me bijna niet voorstellen dat ik dit allemaal beleefd heb.

Maar het door licht overgoten eiland bestaat, want ik heb het zelf gezien.

Waarom ik dit boek schreef

Mijn moeder zei vroeger wel eens dat ik een vondeling was. Ze had me op het strand gevonden achter een stuk wrakhout. Ik droeg een jurkje van zeewier en had schelpen om mijn nek. Ook had ik een mooie witte torenschelp in mijn handen, en daarin kon je liedjes horen en de zee horen ruisen.

Natuurlijk was het maar een grapje, maar ik vond het een prachtig verhaal en het was leuk om het te geloven. En dingen die je graag gelooft en leuk vindt, worden op den duur een beetje waar...

Ons huis stond vlak achter de duinen; het was een groot, hoog huis, met een wilde tuin erachter. Achter die tuin begonnen de duinen en daarachter had je het strand en de zee.

Ik zat vaak in de duinen naar de zee te kijken. Want ik hoopte dat daar op een dag een schip aan zou komen met een prins erop. Die prins was mijn vader: zo had ik het verzonnen en zo moest het zijn.

Ik bedacht allerlei verhalen over die prins en dat schip.

Maar ik durfde er met niemand over te praten, want iedereen vond toch al dat ik veel te veel fantasie had. En dat klonk eigenlijk alsof ze bedoelden dat ik zomaar wat zat te liegen!

Daarom verzon ik ook nog maar een vriendin voor mezelf – want een andere had ik niet.

Die vriendin noemde ik Bo, net als het meisje in dit boek, en tegen haar durfde ik wel alles te zeggen.

Samen met Bo beleefde ik allerlei avonturen. We vertelden elkaar verhalen, we maakten liedjes en gedichten, we bedachten heksenkringen en leerden elkaar toverformules. Soms deden we of we zeemeerminnen waren en in een paleis onder water woonden.

Later, toen ik verhuisde, moest ik weg uit het huis achter de duinen. Maar ik woon nog altijd dicht bij de kust, en als ik uit mijn raam kijk, kan ik in de verte de duinen zien. Ik denk nog vaak terug aan alle verhalen die ik als kind heb bedacht, en aan de heksen en de zeemeerminnen in hun waterpaleis.

Daarom heb ik dit boek geschreven.

Het is een boek vol herinneringen. Een boek dat gaat over mijn jeugd, en de tijd waarin ik geloofde dat alles wat ik bedacht ook echt zou kunnen gebeuren.

En nu ik het allemaal heb opgeschreven in dit boek, weet ik ineens heel zeker dat alles wat ik toen verzon ook helemaal waar was!

Johanna Kruit

Johanna Kruit werd in 1940 in Zoutelande geboren in een gezin van elf kinderen. Haar vader was boekhandelaar. Ze groeide op in een hoog huis achter de duinen en zwierf vaak langs die duinen en het strand. Dat doet ze nog altijd graag. Toen ze trouwde verhuisde ze naar Biggekerke en daar woont ze nu nog.

Ze kreeg twee kinderen, voor wie ze verhalen schreef, sprookjesboeken maakte en liedjes verzon. Haar eerste dichtbundel voor de jeugd verscheen in 1989. Nog later begon ze ook met het schrijven van boeken voor kinderen. Haar eerste kinderboek, *Jasper en Saartje*, verscheen in 1994. Voor de poëziebundel *Zoals de wind om het huis* kreeg ze in 1996 een Vlag en Wimpel.

Johanna Kruit bezoekt vaak scholen, waar ze voorleest uit eigen werk en met leerlingen praat. Ook verzorgt ze poëzieprojecten waarbij de leerlingen zelf korte opdrachtjes krijgen, en leren hoe ze op een speelse manier iets met taal kunnen doen. En als dat gevraagd wordt, wil ze ook best een workshop 'witte hekserij' geven!